Henry de Montherlant

de l'Académie française

La Mort
qui fait le trottoir

(Don Juan)

PIÈCE EN TROIS ACTES

*Texte revu
et corrigé*

*Préface
de Gabriel Matzneff*

Gallimard

PRÉFACE

« *Avez-vous assisté au massacre?* », *m'écrivait Montherlant le 6 novembre 1958, deux jours après la première de* Don Juan *sur le théâtre de l'Athénée. J'y avais assisté, et jusqu'au bout, mais dans la salle, plusieurs personnes étaient sorties au milieu du spectacle. Une semaine plus tard, j'allai revoir* Don Juan, *et bien m'en prit, car il fut promptement retiré de l'affiche, tué par l'action conjuguée des insultes de la critique et de l'indignation du public. Montherlant attendra quatorze ans que, grâce à la présente édition, son* Don Juan *émerge de l'abîme où la cabale, plus que le Commandeur, l'avait précipité.*

Les meilleures pièces de Montherlant ne sont pas les grandes machines qui ont la faveur de notre bourgeoisie fatiguée, et le poussiéreux de telle mise en scène, le conventionnel de tel dithyrambe, ont fait à l'auteur du Cardinal d'Espagne *plus de mal que de bien, en imprimant dans le cœur de la jeunesse que son théâtre est celui de grand-papa, bon pour le cocotier. Les gracieusetés qui, depuis un quart de siècle, se publient sur Montherlant dramaturge (« hidalgo de carton-pâte », « armure vide », « bour-*

*souflure de rhéteur », « navet de marbre», etc.), ont
leur source partie dans une hostilité qui règle ses
comptes et partie dans l'image ampoulée que le
public se fait de ses tragédies.*

*A force de lire dans les gazettes que le théâtre de
Montherlant est un « théâtre de la grandeur », et à
force de le voir joué* dito, *les gens ont fini par le
croire et se sont construit un Montherlant mâtiné
de Corneille et de Cicéron dont la fonction littéraire
serait de débiter des maximes de père noble : de
même que Nietzsche a longtemps été enfermé dans
les clichés du « surhomme », de la « volonté de puissance » et de la « mort de Dieu », de même Montherlant est prisonnier du « en prison pour médiocrité! »
de* La Reine morte. *Un lecteur attentif sait que le
théâtre de Montherlant n'est pas un théâtre de la
grandeur, mais un théâtre de la souffrance et de la
tendresse; il sait que les personnages de Montherlant
ne sont pas des héros drapés dans la pourpre, mais
des âmes sensibles, « humaines, trop humaines »,
qui craquent et qui meurent; mais le public n'est
pas un lecteur attentif, le public vit de clichés, et
nous ne devons donc pas être surpris de l'accueil
qu'il fit en 1958 à* Don Juan. *La pièce porte en
épigraphe cette pensée d'André Suarès : « Le public
n'aime pas être surpris, et il rend insulte pour surprise », et c'est exactement cela. Le* Don Juan *de
Montherlant n'était conforme ni à l'idée que les gens
se faisaient de Montherlant ni à l'idée qu'ils se faisaient de Don Juan. C'était trop pour une seule
pièce, et pour un seul homme.*

*En ce qui touche Don Juan, Montherlant avait
flairé le scandale de loin. Un an avant la création*

de son Don Juan, *un débat autour de « Don Juan,
thème de l'art universel » devant être organisé au
Centre catholique des intellectuels français, Montherlant m'avait écrit, dans une lettre datée du
13 décembre 1957 : « Il me semble que vous vous
devez d'aller à cette soirée. Je n'y peux aller, ayant
un " dîner ", et même, sans cela, n'y aurais-je pas
été, crainte d'être reconnu, et interpellé s'il y a un
débat. Non seulement des Penseurs-ayant-des-idées-
sur-Don Juan, mais des Penseurs catholiques... cela
va être, comme on dit, gratiné. »* Et en post-
scriptum, *évoquant l'un des acteurs qui devaient, au
cours de cette soirée, lire des textes, Montherlant
ajoutait : « X., toujours lugubre, est bien le contraire
du vrai Don Juan, c'est dire qu'il est bien le Don
Juan qu'il faut pour les chrétiens. »*

Pour l'intelligence du Don Juan *de Montherlant,
cette dernière phrase est d'une importance cardi-
nale. De Tirso de Molina à Milosz, les auteurs de
pièces ayant Don Juan pour personnage principal
ont tous mis en scène « le Don Juan qu'il faut
pour les chrétiens », y compris des dramaturges tels
que Molière, Beaumarchais et Pouchkine dont on ne
peut pas dire que la foi en Christ fût au cœur de
leurs préoccupations et de leur art. Et l'idée que le
donjuanisme est inséparable de la révolte contre Dieu
est si fortement ancrée dans les esprits qu'on la
trouve dans tous les livres consacrés à Don Juan,
et que tous les Penseurs-qui-ont-des-idées-sur-Don
Juan seraient, me semble-t-il, prêts à signer cette
affirmation de M. Jean Doresse : « Son vrai caractère
ne peut exister qu'en fonction de la foi dans une
âme immortelle. »*

Fors le Don Juan *de mon cher Byron, où la
« révolte contre Dieu » ne joue aucun rôle, mais ce
poème n'a rien à voir ni avec le théâtre ni avec
Miguel de Mañara, le* Don Juan *de Montherlant
est à ma connaissance la première pièce sur ce
personnage où le Dieu des chrétiens soit totalement
absent. « Il n'y a pas de fantastique : c'est la réalité
qui est le fantastique », déclare le Don Juan de
Montherlant, lorsqu'il découvre que la statue du
Commandeur n'est pas un spectre, mais un carton-
pâte que les carnavaliers ont construit par plaisanterie, et de dire à son fils Alcacer : « Bâtonne-les
et détruisons ce carton-pâte. Que ne pouvons-nous
détruire aussi facilement le carton-pâte de Dieu et
de toutes les impostures, les divines et les humaines! »
Certes, quelques secondes après ces propos qui sont,
en parler chrétien, un blasphème, le surnaturel fait
irruption avec le masque de mort qui s'incruste dans
le visage de Don Juan, se mélange à sa chair, mais
je crois que Montherlant, que l'on a accusé parfois
de ne pas savoir conclure ses pièces, a introduit ce
masque « magique » moins par un souci d'ordre
métaphysique que parce qu'il y a vu une belle trouvaille de théâtre, et une excellente fin. Ce masque
n'apparaît d'ailleurs pas dans la première version
de* Don Juan, *telle qu'on peut la lire dans l'édition
originale, publiée chez Henri Lefebvre, et il n'infirme
en rien l'indifférence que tout au long de la pièce le
Don Juan de Montherlant témoigne à un Dieu
auquel il ne croit pas et dont il n'a pas la moindre
nostalgie.*

*Revenons à ce qu'il m'écrivait en décembre 1957.
Montherlant est convaincu que le « vrai Don Juan »*

*n'a rien de commun avec le Don Juan forgé par
les chrétiens et, dès avant la guerre, dans un petit
ouvrage intitulé* Sur les femmes, *il raillait « l'instinct profond de l'humanité de vouloir à toute force
que Don Juan soit malheureux et de se mettre
l'esprit à l'alambic pour prouver qu'il l'est, surtout
pour le lui prouver à lui-même ». C'est ce thème
qu'il développe à l'acte III, dans la scène où les
Penseurs-qui-ont-des-idées-sur-Don Juan déroulent
devant la double veuve et Alcacer le résultat de leurs
travaux. Scène pleine de drôlerie où Montherlant
bouffonne autour de ce que le personnage et le
mythe de Don Juan ont inspiré à la théologie, à la
philosophie et à la psychanalyse. La charge, très
moliéresque — le Molière de Diafoirus, de Trissotin
et des Précieuses —, est, diront certains, un peu
courte. Soit, mais elle est salubre, et pour une fois
que Montherlant s'abandonne à sa verve de pamphlé-
taire, ne mesurons pas notre plaisir. En mars 1971,
me trouvant au Caire, j'ai acheté* Les Mythes de
l'amour *de M. Denis de Rougemont. Mollement
allongé sur une rive du Nil, qui est un endroit
propice pour rêver de l'amour, et plus encore pour
le faire, j'ai mis le nez dans ce docte ouvrage. Je
n'en avais pas lu une quinzaine de pages que je
me suis écrié en riant : « Mais c'est M. le Catedratico
Blablabla y Blablabla! », et j'ai jeté — que Gallimard me veuille absoudre — la prose de M. Denis
de Rougemont aux crocodiles sacrés qui, selon Héro-
dote, peuplent le fleuve égyptien. C'est depuis ce
jour-là que les crocodiles, tourmentés par les mythes
de l'amour, versent des larmes et ont des aigreurs
d'estomac.*

Le Don Juan de Montherlant n'est ni un impuissant, ni un mystique, ni une victime de l'éternel féminin; le Don Juan de Montherlant est un dragueur, et s'il est dans l'Histoire une figure qui puisse être évoquée à son endroit, ce n'est pas le pêcheur repenti Miguel de Mañara, c'est Casanova, prince incontesté de la chasse aux minettes. Si brillants dragueurs que nous soyons, nous sommes tous des enfants de chœur à comparaison du Vénitien, et c'est lui qui, mieux que quiconque, a formulé l'essence de notre sport favori, lorsque dans ses Mémoires, il écrit : « Cette jeune fille, aussi jolie que sa sœur, quoique dans un autre genre, commença par exciter ma curiosité, faiblesse qui rend ordinairement inconstant l'homme habitué au vice. Si toutes les femmes avaient la même physionomie, le même caractère et la même tournure d'esprit, les hommes, non seulement ne seraient jamais inconstants, mais encore ils ne seraient jamais amoureux. On en prendrait une par instinct et on s'en tiendrait là jusqu'à la mort; mais alors l'économie de notre monde serait tout autre qu'elle n'est. La nouveauté est le tyran de notre âme. Nous savons que ce que nous ne voyons pas est à peu près la même chose que ce que nous avons vu; mais nous sommes curieux, nous voulons nous en convaincre, et pour en venir à bout nous faisons autant de frais que si nous avions la certitude de trouver quelque chose d'incomparable. »

Gentil, voire secourable, avec les femmes qu'il lève, et trop solidement athée pour prétendre défier Dieu, le héros de Montherlant est très loin de l'imagerie traditionnelle d'un Don Juan qui aime de

*rendre les femmes malheureuses et qui les débauche
moins par sensualité que par volonté de transgres-
sion. Les Penseurs doivent en prendre leur parti :
le Don Juan de Montherlant n'est pas Stavroguine.
On a certes le droit de se sentir plus d'atomes crochus
avec le séducteur « démoniaque » de Dostoïevski
qu'avec l'innocent dragueur de Montherlant, et ceux
qui ont lu* L'Archimandrite *savent que je suis peut-
être, pour ma part, plus proche de celui-là que de
celui-ci, mais j'imagine mal qu'on puisse reprocher
à Montherlant d'être Montherlant, et non un autre :
nous ne nourrissons nos livres que de ce que nous
trouvons dans notre propre cœur. Les Pères du
Désert disent souvent que « seul peut parler de Dieu,
celui qui L'a vu ». Cela signifie qu'il n'y a pas de
connaissance du divin en dehors d'une expérience
existentielle, et que la théologie n'est pas une jonglerie de concepts abstraits, mais le fruit d'une rencontre personnelle avec le Ressuscité. Cette rencontre,
Montherlant ne l'a jamais opérée. Aussi préféré-je
le tranquille agnosticisme de son Don Juan (« Je
ne demanderai pas pardon à un Dieu qui n'existe
pas pour des crimes qui n'existent pas ») à, par
exemple, l'envolée mystique sur quoi se clôt* Le
Maître de Santiago. *Je le dis avec simplicité : les
« pages catholiques de Montherlant » (pour reprendre
le titre d'une anthologie parue en 1947) ne me
convainquent guère. La seule pièce de Montherlant
qui rende un son véritablement chrétien est* Port-
Royal, *à cause que notre auteur y a utilisé d'abon-
dance les écrits des Messieurs et des religieuses de
Port-Royal, et s'est effacé devant eux. Mais dans le
fameux troisième acte de* La Ville *dont le prince*

est un enfant, *n'en déplaise à Gabriel Marcel et à Montherlant lui-même, qui semblent croire que les propos du Supérieur touchant le « surnaturel authentique » sont un sommet chrétien, le Christ est rigoureusement absent, ou plutôt il n'est présent que par la bande, si j'ose ainsi parler, grâce aux paroles de l'athéiste abbé de Pradts sur la tendresse et l'affection. Contrairement à ce que prétend le Supérieur, le christianisme* est la religion des visages, *parce qu'elle est la religion de l'incarnation, et ce n'est que sur les visages des êtres que nous aimons que nous pouvons déchiffrer, en transparence, l'icône du Ressuscité.*

Retournons à Don Juan. *Montherlant a donc eu raison de ne pas créer un personnage plus métaphysicien qu'il ne l'est soi-même. Cela dit, il ne faudrait pas en conclure que cette pièce, riche en situations, en mots et en scènes comiques, n'est qu'une aimable séguedille. Comme* Brocéliande — *une autre œuvre méconnue —,* Don Juan *est, sous son enveloppe de gaieté, une pièce grave. Obsédé par la pensée de sa mort prochaine, obsédé par son besoin de l'étreinte amoureuse, Don Juan est en proie à cette démesure, à cette* ubris *qui, chez les anciens Grecs, est le propre des héros tragiques. Et si le Dieu de l'Évangile est absent de* Don Juan, *cette pièce n'en est pas moins visitée par le divin : Éros et Thanatos, le dieu de l'amour et le génie ailé de la mort, dont la présence invisible donne à l'œuvre sa tension* agonique, *exprimée symboliquement dans la dernière scène où Don Juan, qu'habite une exaltation quasi démentielle, part au galop conquérir de nouvelles femmes, avec le masque de la mort qui lui colle au visage comme la tunique de Déjanire au corps d'Hercule.*

Don Juan ou La Mort qui fait le trottoir. *Le Don Juan de Byron est « insouciant, jeune et magnifique » (ch. X, v. 553). Le Don Juan de Montherlant, lui, a soixante-six ans, met un masque d'étoffe sur son visage pour que les petites filles oublient ses rides, et sait qu'il va bientôt mourir. L'œuvre de Montherlant est peuplée d'hommes qui songent à l'approche de la mort. Mais alors qu'un Ferrante ou qu'un Don Alvaro attendent avec une sorte d'impatience que tout finisse, Don Juan est, comme Malatesta, saisi d'horreur à l'idée que dans peu de temps il cessera d'exister, et cet effroi rend la conscience d'une telle approche plus poignante encore. C'est pourquoi, si différent que soit Don Juan de Gustav Aschenbach, je ne lis jamais la pièce de Montherlant sans songer à la sublime nouvelle de Thomas Mann : Séville et Venise, deux villes pour aimer et pour mourir.*

La Mort à Venise *a eu la chance d'être porté à l'écran par Luchino Visconti, et la fatale passion du vieil Aschenbach a ainsi inspiré un grand livre, puis un film inoubliable. Si l'on considère ce que fut la création de* Don Juan *sur le théâtre de l'Athénée en novembre 1958, on doit reconnaître qu'en ce rencontre Montherlant a été moins heureux que Thomas Mann. Je ne pense cependant pas que l'on puisse expliquer dans son entier l'échec de la pièce par la mise en scène de Georges Vitaly, les décors de Mariano Andreu et le jeu de Pierre Brasseur. La critique a été sévère pour ce dernier. Ma foi, il est possible que Brasseur, qui dans* Les Enfants du

Paradis *incarna merveilleusement le donjuanesque Frédérick Lemaître, n'a pas servi le texte de Montherlant avec autant de bonheur que celui de Prévert, mais je ne suis pas un critique et me tiendrai la bride courte sur ce point. Si j'interroge mes souvenirs des deux représentations de* Don Juan *auxquelles j'ai assisté, mon impression dominante est que* cela allait trop vite, *et que le public n'avait pas le temps de saisir les nuances des dialogues. Je dois à la vérité de dire que d'une manière générale j'ai plus de plaisir à lire les pièces de Montherlant qu'à les voir jouées sur un théâtre, et que jusqu'à ce jour cette règle n'a souffert que quatre exceptions :* La Reine morte *(avec Yonnel dans le rôle de Ferrante),* Le Maître de Santiago *(avec Henri Rollan dans le rôle de Don Alvaro),* Port-Royal *et* Brocéliande *(avec Debucourt dans les rôles de Péréfixe et de Persilès).*

Oui, cela allait trop vite, et les spectateurs ne parvenaient point à suivre un personnage dont le caractère premier est la mobilité. Flaubert écrit dans Bouvard et Pécuchet *: « M. Droz, un professeur, blâme Shakespeare pour son mélange du sérieux et du bouffon. » Mêmement, le chanoine Croze a reproché à Montherlant d'avoir, dans* Port-Royal, « *cherché, par des situations et des répliques comiques, à adoucir l'austérité de son sujet* ». Shakespeare *et* Port-Royal *ont, semble-t-il, bien résisté aux attaques de leurs zoïles, mais en ce qui regarde* Don Juan, *il me paraît clair que l'alternance du léger et du pathétique est ce qui a le plus déconcerté le public et qui, d'une façon tout autrement décisive que le jeu de tel acteur, a provoqué l'échec de la pièce. Les* *voltes perpétuelles et l'incohérence du héros de Montherlant ont surpris, et déplu.* « *On dirait que chez nous la logique est le fondement des arts, et cette nature ondoyante dont parle Montaigne est bannie de nos tragédies; on n'y admet que des sentiments tout bons ou tout mauvais, et cependant il n'y a rien qui ne soit mélangé dans l'âme humaine.* » (*Staël,* De l'Allemagne.*)*

Il en résulte que, de même que le Dom Juan *de Molière fut arrêté à la quinzième représentation (le 20 mars 1665), d'ordre royal, et devait attendre près de deux siècles (le 15 janvier 1847) avant que d'être joué à nouveau, de même le* Don Juan *de Montherlant fait d'évidence peur aux directeurs de théâtres, ainsi qu'aux acteurs. Fernand Gravey souhaitait de le jouer, mais sa mort a suspendu ce projet pour l'éternité. Depuis, plusieurs théâtres parisiens ont refusé de monter* Don Juan, *ce qui, s'agissant d'un auteur dramatique aussi célèbre que Montherlant, est un point curieux, et qui mérite d'être noté. J'écris cette préface en juin 1971 et je ne préjuge pas l'avenir, mais dans le temps que je l'écris il n'existe aucun dessein de jouer* Don Juan *sur un théâtre.*

Nous pouvons certes former le vœu que cette nouvelle édition de Don Juan *sera, pour de jeunes metteurs en scène et de jeunes acteurs, l'occasion de découvrir et d'aimer ce texte magnifique; mais l'atmosphère de cuistrerie et de lourdeur sorboniques qui est présentement celle de notre vie littéraire française ne me paraît guère propice à un tel retournement. Nos diafoirus veillent au grain.*

Gabriel Matzneff.

*La Mort et l'Amour s'en
allaient vers Madrid.*

D'un vieux romance
castillan.

*La vie? Une comédie qu'il
faut bien prendre au tragique.*

Aux Fontaines du Désir.

*Le public n'aime pas être
surpris, et il rend insulte pour
surprise.*

André Suarès.

Don Juan a été représenté pour la première fois au Théâtre de l'Athénée le 4 novembre 1958. Mise en scène de Georges Vitaly. Décors de Mariano Andreu.

PERSONNAGES

DON JUAN TENORIO, *66 ans.*	*Pierre Brasseur.*
DON FELIPE ALCACER, *son bâtard, 26 ans.*	*François Guérin.*
LE COMTE DE ULLOA, *Commandeur de l'Ordre de Calatrava, 60 ans.*	*Lucien Baroux.*
LE MARQUIS DE VENTRAS, *la cinquantaine.*	*Lioté.*
DON BASILE, *la quarantaine.*	*Jacquot.*
PREMIER PENSEUR-QUI-A-DES-IDÉES-SUR-DONJUAN.	*Lioté.*
DEUXIÈME PENSEUR-QUI-A-DES-IDÉES-SUR-DON JUAN.	*Mérovée.*

TROISIÈME PENSEUR-QUI-A-DES-IDÉES-SUR-DON JUAN.	*Audoubert.*
LE CARNAVALIER-CHEF.	*Alex Rignault.*
DEUXIÈME CARNAVALIER.	*Saudray.*
TROISIÈME CARNAVALIER.	*Herlin.*
ALGUACILS, PASSANTS	
LINDA, *15 ans.*	*Colette Castel.*
LA DOUBLE VEUVE, *45 ans.*	*Suzanne Dehelly.*
ANA DE ULLOA, *17 ans.*	*Édith Scob.*
LA COMTESSE DE ULLOA, *60 ans.*	*Lydia Rogier.*
PASSANTES.	

La scène se passe à Séville et dans sa campagne, environ l'an 1630.

ACTE I

Une place, à Séville. Au premier plan, à droite et à gauche, maisons avec arcades à colonnes. Au fond, le départ de l'arche d'un pont en dos d'âne sur le Guadalquivir. Des promeneurs passeront de temps en temps sur la place et au fond de la scène, mais seulement après les premières répliques.

Au mur d'une des maisons du premier plan, une petite niche avec une statuette de la Vierge.

SCÈNE I

DON JUAN

Dès l'instant qu'il n'y a pas de tigres en Andalousie, je suis bien obligé de chasser la femme. Il
y a un an tout juste, j'avais rendez-vous à l'autre
bout de ce pont avec une petite sournoise qui n'est
pas venue. Mais peut-être qu'elle est arrivée quand
j'étais parti, et qu'elle m'attend là depuis un an.
Je vais m'en assurer.

Il va vers le pont, regarde et revient.

Non, personne. — Cette place vide, c'est assez
impressionnant : l'arène avant la course de tau-
reaux. Quartier béni et maudit, plein de délices et
de peur! S'il y avait une stèle commémorative à
chaque endroit où j'ai fait une femme sur cette
place, on ne pourrait plus y marcher.

ALCACER

Mon cher père, je me demande pourquoi nous
sommes revenus depuis hier à Séville, alors que
vos caracoles vous y ont créé mille ennemis. Du
moins êtes-vous sauvé du Commandeur de Ulloa,
grâce à cet incroyable malentendu. Trouver dans
la chambre de sa fille votre ceinture amarante, et

croire que c'était le duc Antonio qui était chez elle, parce qu'Antonio porte toujours des ceintures amarante! Laisser le duc en liberté, par le bon plaisir du roi. Et que votre départ le lendemain de l'incident, et que votre absence pendant une année, n'aient pas éveillé de soupçons!

DON JUAN

Parlons d'autre chose. Ana de Ulloa, c'est une page tournée.

ALCACER

Le vent ramène en place, quelquefois, les pages tournées.

DON JUAN

Il y a cent mille Ana de Ulloa; son visage même est sorti de ma mémoire. Il me semble qu'elle avait un visage clair, mais je n'aime pas les visages clairs : j'aime les visages troubles, qui ont bien macéré dans leur péché. Allons, une qui s'en va libère la place pour une qui arrive. Et tout le monde sait que celles qui arrivent sont les meilleures.

ALCACER

Mais de vous les femmes disent . « Il est toujours plus aimable quand il part que quand il arrive. »

DON JUAN

L'homme est fait pour abandonner.

ALCACER

Ne restons pas trop longtemps à Séville. Je sens qu'il y a ici une foule de chiens crevés qui vont remonter sur l'eau.

DON JUAN

Appelles-tu « chiens crevés » les personnes que j'ai honorées de mon désir? Si ces personnes sont à la surface de l'eau, c'est comme les morceaux de liège qui y soutiennent le filet des pêcheurs. Moi, je suis le filet. Qu'elles cessent de me soutenir, je vais au fond.

ALCACER

Ne restez pas à Séville, mon père.

DON JUAN

Je reste pour la petite de qui j'ai fait connaissance hier, et qui me donnera peut-être quelque chose d'elle aujourd'hui. Le monde est racheté par ce moment de la créature humaine où elle est désirable et où elle consent. C'est vraiment cela qui rachète tout. Chaque fois que je fais tomber une femme, c'est comme si c'était la première fois. Il faut que j'en aie au moins trois par jour : c'est mon pain. Une à telle heure, une à telle heure, une à telle heure, et sans se rencontrer, quelle jonglerie! Quelquefois je m'y perds, je les confonds entre elles, je passe de l'une à l'autre sans m'en apercevoir ou quasiment... Le seul ennui des personnes, c'est que, pendant qu'on fait ça avec elles, on ne peut pas le faire avec d'autres, ni même être à la chasse d'autres. Mais celle-ci m'a laissé sur un « Je viendrai! » de la plus grande fermeté. Cette fermeté m'a fait mauvaise impression. Elle ne viendra pas. *(Il regarde sa montre.)* Non, je sens qu'elle ne viendra pas. Pourquoi est-ce cinq minutes seulement avant l'heure du rendez-vous que l'on comprend enfin que l'objet attendu ne viendra pas?

ALCACER

Elle vous est du moins une magnifique occasion
de perdre votre temps.

DON JUAN

Il n'y a jamais de temps perdu dans une affaire
de galanterie, même ratée. — Je lui ai apporté un
petit bouquet de clématites, accordé à la modestie
de son âge. Car elle a quinze ans. Quinze ans et
moi soixante-six. J'aime que les âges soient bien
appareillés en amour. Et les succès de l'empereur
Tibère, âgé de quatre-vingt-deux ans, auprès des
enfants au berceau, sont bien connus de l'histoire.
Veux-tu tenir le bouquet de clématites? Un homme
qui donne un bouquet n'est pas ridicule, mais un
homme qui en porte un l'est.

> *Il lui met le bouquet dans les bras.*

Me voilà débarrassé de la fleur bleue.

ALCACER

Et si elle vient avec son papa?

DON JUAN

Le papa marchera à cinq mètres d'elle exactement, et s'accoudera avec négligence d'un côté du
pont, tandis qu'elle s'accoudera de l'autre. Mais
nous connaissons la musique.

ALCACER

S'il y a papa, elle sera mieux habillée et mieux
coiffée qu'à l'ordinaire, en prévision du commissa-
riat de police, où il faut qu'elle ait l'air de quelqu'un.

DON JUAN

Dissimulons-nous, ouvrons l'œil, ne bougeons pas d'un pouce.

ALCACER

Bouclons notre ceinturon, et faisons trois inspirations profondes.

DON JUAN

Mordons-nous les lèvres. Soyons jeune.

ALCACER

Frisons la moustachette.

UN PASSANT, *à Don Juan.*

Monsieur, vous ne connaissez pas la rue de la Navidad?

DON JUAN

Vous tournez à droite, puis vous prenez la rue San Lucas, et ensuite vous n'aurez qu'à demander à un agent.

LE PASSANT, *avec terreur.*

A un agent! Ah! ça, jamais!

Il s'en va et tourne à gauche.

DON JUAN

Dire qu'on ne peut pas attendre une femme, tous les nerfs à vif comme à dix-huit ans, sans qu'un passant vous demande son chemin. Et prenne la direction opposée à celle qu'on lui a indiquée.

DON BASILE, *passant, entouré de dames.*

Don Juan est pour l'heure à Valence, je le sais
de source certaine. Il n'ose pas revenir à Séville,
et savez-vous pourquoi? Il a fait une chute de
cheval et ne marche plus qu'avec des béquilles.
Boiteux! Quelle fin pour ce grand séducteur, ou du
moins prétendu tel! Il est vrai que j'ai connu un
envoyé extraordinaire du Tehuantepec, qui n'aimait strictement que les unijambistes. C'était un
envoyé en vérité extraordinaire.

DON JUAN

Si je n'étais rivé derrière ce pilier, comme à
l'intérieur d'un cercle magique, il aurait mon pied
quelque part et il verrait si je suis boiteux.

ALCACER

Quand on va vider par la fenêtre les pots de
chambre, ce qui ne saurait tarder, vu l'heure, il
faudra bien que vous bougiez. — Sans indiscré-
tion, qu'y a-t-il dans cette sacoche, dont vous vous
assurez tout le temps?

DON JUAN

Trois cents lettres de mes petites compagnes
terrestres, en morceaux, que je vais jeter dans le
Guadalquivir. J'attends seulement qu'il y ait moins
de monde; nous ferons cela quand les passants
seront en train de dîner. J'en ai détruit autant à
Ségovie et autant à Tolède. J'avais laissé de tout
cela à des amis sûrs, dans des cassettes fermées
à clef. Mais à présent je dois songer un peu à ma
mort, et je sais trop que, aussitôt mort, mes amis
sûrs auraient ouvert les cassettes et se seraient
régalés de leur contenu. C'est pourquoi j'ai décidé
de tout détruire.

ALCACER

Détruire des lettres d'amour! Cela ne vous coûte pas trop?

DON JUAN

Maintenant l'habitude en est prise. Mais, la première fois, il y a eu un instant terrible. Comme je n'ai pas de mémoire, c'était vraiment anéantir une époque de ma vie, faire comme si elle n'avait jamais existé. C'était me tuer moi-même en partie, dans ces femmes que je tuais. Parole, j'ai cru que j'allais m'évanouir. Puis je ne me suis pas évanoui, et j'ai vu alors que, si en somme je le prenais légèrement, c'était que le présent et l'avenir m'intéressaient plus que le passé, qu'ils *me suffisaient*... J'avais fait place nette pour eux. Par mon manque de mémoire, et par la destruction de ce qui me tenait lieu de mémoire, j'ai brûlé mes vaisseaux. Je ne peux plus aller qu'en avant.

ALCACER

Tenez, profitez de ce moment pour jeter celles-ci. Il n'y a personne en vue.

DON JUAN

Elle ne viendra pas : je desserre mon ceinturon. — Ah! le monde revient. La place se peuple d'une troupe de génisses ravissantes et de cocus avantageux. Quelle profonde honte je ressens à voir que sur cette place tout le monde est plus jeune que moi! Mort aux jeunes!

ALCACER

Vous êtes plus jeune que pas un d'entre eux.

DON JUAN

Je suis un peu vaurien; c'est ce qui me donne
une goutte de jeunesse. — Oh! mais les gens sont
beaux, aujourd'hui : ils ont mis leur tête du 1er mai.
Même le vieux, là, il est bien : il me ressemble.

Désignant l'un après l'autre des passants.

Un cocu! Encore un. Encore un.

*Son geste circulaire englobe maintenant la
salle, et désigne des spectateurs.*

Encore un. Là, encore un autre. Mais gare aux
coups de corne des génisses et des cocus. — Vite,
cache-moi!

Il se cache derrière Alcacer.

Je respire; celui en noir est un grand méchant.

ALCACER

Quelle idée de donner toujours vos rendez-vous
sur cette place! Cela pue le revenant, ici. Séville
est pourtant assez vaste.

DON JUAN

Le lieu du crime...

ALCACER

Sur la devanture de cette taverne je vois écrit :
« Ici on apporte son danger. »

DON JUAN

Pas mal!

ALCACER

Et sur la porte, il est écrit : « Tirez. » Cela
donne froid dans le dos.

DON JUAN

Que de femmes! Que de femmes! Quel rince-
l'œil exaltant! — Pauvres filles! Quand je pense
à tout ce qu'elles perdent.

ALCACER

En quoi?

DON JUAN

En ne m'ayant pas pour amant.

ALCACER

Si nous n'étions cloués ici, j'aborderais cette
blonde ou je suivrais cette maigrichonne...

DON JUAN

On ne suit pas une femme : elle vous prend
pour son toutou, ou se met à avoir peur; on l'aborde
face à face. Quant à la blonde, elle se hâte, et on
n'aborde pas une femme qui se hâte : elle a un
but immédiat, et ne s'arrêtera pas.

ALCACER

Celle-ci du moins va nous passer sous le nez.
Du haut elle ballotte, du bas elle ondule : le féminin remue comme la mer.

> *De très près, à la femme qui passe.*

Madame, il me semble que je vous...

> *La passante a un haut-le-corps et presse le
> pas.*

DON JUAN

On n'aborde pas une femme de trop près : cela
l'effraye. D'où sors-tu aujourd'hui? Il faut tout
t'apprendre.

*Une femme se penche par la fenêtre et,
criant : « Cuidao! Agua va! » (« Attention!
Voilà l'eau! ») déverse le contenu d'un pot de
chambre sur Don Juan.*

ALCACER

Je vous l'avais dit!

DON JUAN

Que veux-tu que j'y fasse? Si je bouge à droite
je ne vois pas arriver Linda. Si je bouge à gauche
je suis vu par le grand méchant. Je ne peux pas
broncher d'un pas.

DON BASILE, *repassant avec les dames.*

Don Juan prétend avoir eu des milliers de
femmes. Voyez-vous cela! Mettons qu'il en ait eu
tout au plus une cinquantaine. C'est un rêveur,
un cérébral. Je l'ai souvent aperçu sur cette place,
caché derrière un pilier. Il regardait, mais il n'in-
tervenait pas. Il avait l'air d'un collégien, qui
n'ose pas se jeter à l'eau.

Les dames rient.

DON JUAN

Parbleu! J'attendais quelqu'un, comme aujour-
d'hui.

DON BASILE

Et il ne se retournait même pas sur les femmes,
ni ne les dévisageait!

DON JUAN

Les hommes qui dévisagent les femmes sont
presque toujours des insignifiants ou des laids.
Aux repus les regards distants et désabusés.

DON BASILE

D'ailleurs, un homme de son espèce, qui s'occupe trop des femmes, est un malade.

UNE DAME

Il faudrait choisir, Don Basile : ou Don Juan s'occupe trop des femmes, ou il ne s'en occupe pas assez... Cela ne s'accorde pas.

DON JUAN

La haine l'accorde.

ALCACER

Vous lui avez demandé quel était le métier de papa?

DON JUAN

Je ne te l'ai pas dit? Indicateur auprès de la Sainte Inquisition [1].

> *De la même fenêtre, le contenu d'un pot de chambre est de nouveau vidé sur Don Juan, avec le cri :* « Agua va! »

ALCACER

Indicateur auprès de l'Inquisition! On voit que vous êtes un homme qui n'a pas peur de se mouiller.

DON JUAN

Elle m'avait dit qu'il était bonnetier en gros. Mais je la rencontrai avec M. l'Indicateur. Comme ils ne s'adressaient pas la parole, j'ai bien vu que c'était le père et la fille.

---

[1]. Le titre officiel était « Familier de la Sainte Inquisition ». Ces « Familiers », souvent fort notables — Lope de Vega en fut — étaient, en fait, des indicateurs.

Nouveau pot de chambre vidé sur Don Juan [1].

ALCACER

Mais enfin, écartez-vous!

DON JUAN

Tu sais bien que, si je m'écarte, je ne vois pas arriver Linda.

ALCACER

Autre chose : je ne vous ai pas annoncé encore que j'ai pris pour vous un rendez-vous avec un tendron rencontré ce midi. Vingt-deux ans. C'est la fille du patron de la Taverne des Trois Lapins.

DON JUAN

Des Trois Lapins? Pour une fille à rendez-vous, voilà qui promet. — Elle est bien?

1. Certains traits comiques, chez un auteur, peuvent n'avoir d'autre fin que leur comique. D'autres ont une portée. Dans *Celles qu'on prend dans ses bras*, la scène de la bergère, qui irrite les prétendus délicats, éclaire par un symbole tout le comportement final du héros. Les déversements d'eau sale sur la tête de Don Juan, supportés avec impavidité, ont pour but de montrer la puissance tenace de la passion, et d'une passion absurde, puisque Linda n'est rien pour Don Juan, qui va jusqu'à dire qu'il ne la désire qu' « à moitié ». Un lecteur du moins l'a bien vu : il complète même ma pensée par une comparaison qui ne m'était pas venue à l'esprit. Il m'écrit : « Don Juan — ce *nescius tolerandi!* — qui supporte sans rien dire, parce qu'il attend une fille, les pots de chambre que les ménagères lui versent sur la tête, c'est, toutes proportions gardées, le chevalier teutonique qui supporte sans rien dire les brocards de la valetaille du château où sa petite fille est retenue prisonnière (dans *Le Maître de Santiago*). »

J'ai supprimé toutefois, pour la représentation, un des pots de chambre pensant qu'un public de spectateurs n'y pourrait voir autre chose que de l'insistance dans le comique gros.

ALCACER

Quand elle se penche et que ses cheveux en retombant cachent sa figure, elle n'est pas mal.

DON JUAN

Tu me fais pétiller l'imagination.

ALCACER

Il est dommage qu'elle louche par instants.

DON JUAN

Cela fait partie de sa personnalité.

ALCACER

Et qu'elle ait l'air un peu abruti.

DON JUAN

Abruti? Mettons qu'elle est songeuse.

ALCACER

Elle a une dent cassée.

DON JUAN

Si elle en avait trois ou quatre, encore... Mais une! C'est tout juste ce qu'il faut.

ALCACER

Pour tout vous dire, quand elle parle vite, elle a tendance à bégayer.

DON JUAN

Moi qui aime tant les gens qui bégayent!

ALCACER

Ce qui ne l'empêche pas d'avoir de la conversation. Je lui ai demandé si elle préférait venir avec moi à la promenade, ou rester chez elle; elle m'a répondu : « Je ne sais pas... » Si elle préférait la musique gaie, ou la musique triste, ou pas de musique du tout; elle m'a répondu : « Je ne sais pas... »

DON JUAN

Quelle finesse! Quelle réserve!

ALCACER

Je lui ai demandé si elle voulait prendre un amant, elle m'a dit que oui. Si elle voulait se marier, elle m'a dit que non. Ce qu'elle voulait faire dans la vie, elle m'a dit qu'elle voulait être avorteuse.

DON JUAN

Voilà un programme intelligent. Pour quand as-tu pris rendez-vous? Je me dois de la lever, c'est une question d'honneur. Et puis, que faire d'un déchet humain, sinon coucher avec lui?

ALCACER

Pour après-demain, dix heures du soir, à la plazuela del Pan. Vous la reconnaîtrez de loin à ce qu'elle boite un peu. Après avoir été presque paralysée des jambes pendant quelque temps, maintenant elle marche.

DON JUAN

Elle marche! Mots divins! Je lui donnerai mille pesetas pour une heure.

ALCACER

Ce sont les honoraires pour la consultation d'un grand médecin.

DON JUAN

Dans ce cas, je lui donnerai quinze cents pesetas.

DON BASILE, *repassant, avec les dames.*

Don Juan... On s'est trompé du tout sur son compte. Son rêve a toujours été d'être président du Conseil des Indes.

UNE DAME

Président du Conseil des Indes! Mais il ne s'occupe que des femmes, et on ne l'a jamais vu le moins du monde dans les affaires publiques. Grand Dieu! Où en trouverait-il le temps, toujours accaparé par ses intrigues galantes?

DON BASILE

C'est qu'il cachait son jeu. Les femmes n'étaient qu'un prétexte, un alibi, en vue de dissimuler son ambition féroce. Et il n'est pas parvenu à être président du Conseil des Indes! De sorte qu'on peut dire que sa vie est celle d'un raté, d'un pauvre type.

UNE DAME

Vous nous en direz tant! Comme les apparences sont mensongères!

UN PASSANT *chante,*
s'accompagnant sur la guitare.

On ne peut pas être tendre
Pour qui s'est trop fait attendre.

DON JUAN

Quelle blague! Linda est en retard. Que Linda ait été en retard, comme cela sera plus mer- veilleux encore, quand elle arrivera! Et merveilleux aussi si elle ne vient pas : je serai libre et pourrai en chercher une autre. Oh! quelle envie j'ai de la tromper!

ALCACER

Peut-être qu'elle s'est mise en retard afin de se faire désirer davantage.

DON JUAN

Cela n'est pas le fait d'une petite jeune fille.

Un alguacil, l'épée au côté, entre et fait les cent pas sur la place à ce moment vide.

ALCACER

Flûte! Un agent de police.

DON JUAN

Je ferme les yeux : comme cela il ne me verra pas.

L'alguacil va et vient sur la place, jette des regards fréquents et insistants sur Don Juan, qui manifeste un vif malaise. Enfin l'alguacil s'arrête devant lui, et lui fait un petit salut de la main.

L'ALGUACIL

Vous êtes de garde jusqu'à sept heures?

DON JUAN

Euh... Oui, oui, jusqu'à sept heures.

L'ALGUACIL

C'est Martinez qui vous relève?

DON JUAN

Oui, justement, c'est Martinez...

L'ALGUACIL

Ouvrez l'œil. Il se passe de drôles de choses
sur cette place.

DON JUAN

On exagère beaucoup. Mais n'ayez crainte. Je
suis là.

> *L'Alguacil s'en va.*
> *A Alcacer.*

C'est quand même rassurant : ça prouve qu'on
a une bonne figure.

> *Une jeune fille apparaît au loin; elle ne
> voit pas les deux hommes, qui se cachent.*

DON JUAN

La voici.

ALCACER

Serrez votre ceinturon.

DON JUAN

C'est vrai.

ALCACER

Y a papa?

DON JUAN

S'il y avait papa, ils seraient venus à l'heure :
une souricière est une souricière. Pas papa. Personne qu'elle sur la place.

ALCACER

La coiffure?

DON JUAN

Négligée.

ALCACER

La mise?

DON JUAN

Celle d'hier. Je respire. Tu as bien en tête notre petit scénario?

ALCACER

Tout est en place. N'ayez crainte.

DON JUAN

Observe avec soin le taureau, et vois ce qu'il donnera à la course. Quant à papa, s'il apparaît, tu le bouscules. Pendant que vous discutez, je file.

ALCACER

Entendu.

La jeune fille s'approche. Alcacer se dissimule, après avoir dit :

Dieu! quel œil intéressant!

Don Juan s'avance vers Linda, et lui baise les mains.

SCÈNE II

DON JUAN, LINDA.

DON JUAN

Eh quoi! nous rougissons? Voilà des rougirs
dont il faudra savoir se défaire. Mais, d'abord,
accepte cet humble bouquet, accordé à la modestie de ton âge.

LINDA, *mettant le nez dans le bouquet.*

Oh! Ça sent le jambon!

DON JUAN

Mais non, ça ne sent pas le jambon : ce sont des
clématites. Il n'y en a pas beaucoup, parce qu'elles
sont chères. Je t'ai apporté aussi une broche damas-
quinée de Tolède. Seulement voilà, je me demande
comment tu expliqueras cette broche à tes parents.

LINDA

Je dirai que je l'ai trouvée.

DON JUAN

Tu en as trouvé souvent, des broches de Tolède,
dans le ruisseau? Il est vrai, des parents!... Un
mari, ce serait autre chose. Mais des parents!...

LINDA

Je dirai que je l'ai achetée avec mes économies.
Et, justement, c'est dimanche la Fête des Mères.
Je la donnerai à Maman.

DON JUAN

Douce Fête des Mères! Que de biens charmants
elle m'aura valus! — « Mais avec quoi as-tu acheté
cela, ma chérie? — Avec mes économies, petite
Mère. J'ai économisé pendant un an. — Vous
entendez, Teresa? Elle a économisé pendant un
an! Mon trésor adoré, embrasse bien fort petite
Mère. Et, pour la Fête des Pères, est-ce que tu
donneras aussi quelque chose à Papa? — Oh! pour
la Fête des Pères, je dirai à Papa : " Papa, donne-
moi deux cents pesetas que je t'achète un cadeau
pour la Fête des Pères. " — Voilà qui est bien
dit! Mon trésor adoré, embrasse petite Mère encore
une fois. » Maintenant, chère Linda, si moi je
cherche à faire plaisir à toi et à ta mère, il faut
que toi aussi tu cherches à me faire plaisir.

LINDA

Est-ce que je ne vous fais pas plaisir en venant
à votre rendez-vous?

DON JUAN

Si, mais j'aimerais davantage. J'aimerais pouvoir te caresser un peu...

LINDA

Qu'est-ce que c'est, caresser?

DON JUAN, *bas.*

Elle exagère. *(Haut.)* C'est câliner, cajoler,
aimer, toucher.

LINDA

Et ça s'écrit comment? Avec deux *r?*

DON JUAN, *la caressant.*

Avec deux mains.

LINDA

Je n'aime pas que l'on me caresse.

DON JUAN

Eh bien, tudieu! il faudra que tu l'aimes. Laisse-moi t'expliquer, j'ai eu une fille qui est morte toute jeune, elle avait ton âge. Alors, quand je te tiens dans mes bras, j'ai l'illusion que c'est elle. J'étais un père très tendre; chacun a sa nature. Voilà, je voudrais que tu me laisses mettre la main sur ta gorge.

Il lui passe la main sur la gorge. Elle crie.

Ne crie pas ainsi, ou j'appelle la garde.

LINDA

C'est cela que vous faisiez à votre fille?

DON JUAN

A quelques centimètres près... Laisse-moi mettre la main sur ta gorge et je te donnerai cette broche de Tolède.

LINDA

Un marché!

DON JUAN

Et que donnera-t-on aux filles qui sont avisées et compréhensives, si on donne tout à celles qui ne le sont pas? Un peu de justice, que diable!

Je suis généreux. Profites-en. Je ne serai peut-
être plus généreux dans une heure. Il faut prendre
les hommes comme ils passent.

LINDA

Non, je refuse.

DON JUAN, *scandalisé*.

Oh là! mais nous avons une volonté! Une toute
petite volonté contrariante. Parce qu'une volonté
est toujours contrariante. Pourtant tu ne sais pas
comme je t'aime!

LINDA

Combien durera votre amour?

DON JUAN

L'espace d'un matin.

LINDA, *lui jetant le bouquet au nez*.

Vous auriez mieux fait de mentir.

DON JUAN

Je paie les femmes mais je ne leur mens pas.
Cela vaut mieux que de ne pas les payer et de
leur mentir.

Essayant de la caresser.

N'interpose donc pas sans cesse tes mains,
comme un chat ses griffes quand on veut le pati-
ner! Dieu! que la pudeur est chose vulgaire! Une
princesse qui se défend devient aussi vulgaire
qu'une goton. Mon âge t'effarouche? Moi aussi
j'ai eu quinze ans et, soit dit sans qu'on t'offense,
je crois bien qu'à ce moment-là j'étais drôlement
mieux tourné que toi. Là, tout doux, je me place

à contre-jour. Tu gagnerais à en faire autant, ma chère, car tu as des points noirs sur le nez.

LINDA

Des points noirs sur le nez!

DON JUAN

Les points noirs de la vierge disparaissent aussitôt qu'elle a cédé. Un enfant sait cela.

LINDA, *détournant la tête.*

Non, je ne veux pas vous regarder de près.

DON JUAN

Allons, un peu de courage. Tu en verrais bien d'autres si tu étais à la guerre.

LINDA

Un homme de votre âge qui fait le libertin!

DON JUAN

Ne te plains pas, ma belle. Je serai bien pire dans dix ans. Et puis quoi! que d'histoires! Jupiter, dieu des dieux, archétype de la beauté virile, ne peut pas séduire une femme s'il ne se métamorphose en animal : en taureau, en cygne... Dans le vieux conte grec l'héroïne envoie promener l'âne qui était son amant, lorsqu'il a repris la forme humaine qu'il avait perdue par magie. Car la femme n'aime pas l'homme beau; elle n'aime que le gorille. Que les vieillards cessent donc leurs jérémiades, et les pucelles leurs cris de dégoût. Je suis ce qu'il vous faut, ma fille; vous aimez les gorilles : vous pouvez donc m'aimer.

LINDA

Pouah!

DON JUAN

Est-ce là votre dernier mot? C'est que nous avons pensé à tout.

Il rabat sur son visage un masque d'étoffe qui ne découvre que les yeux et la bouche.

Voici ce que nous mettons avec les mijaurées.

LINDA

Retirez ce masque. Vous me faites peur.

DON JUAN

Ne suis-je pas ainsi ravissant? Ne puis-je pas ainsi tout me permettre?

Il la baise.

LINDA

Vous m'avez dépeignée!

DON JUAN

Pas du tout. J'embrasse sans dépeigner.

LINDA

Retirez ce masque!

DON JUAN

Je le garde. Comme cela, la mort ne me reconnaîtra pas.

Désignant un jeune homme qui passe.

Tu vois cet horrible jeune homme. Tu crois que c'est lui qui tient le bon bout? Les jeunes gens ont la vie entière devant eux. Mais ils ignorent si

elle sera du bonheur, et peut-être elle n'en sera
pas. Moi, je sais que ma vie entière a été du
bonheur. De ce bonheur fini, mais sûr, ou de ce
bonheur aléatoire, lequel vaut le mieux? On peut
en débattre.

LINDA

C'est tout débattu.

DON JUAN

Ainsi, pas même une promesse, une espérance
pour l'avenir?

LINDA

Retirez votre masque et je vous répondrai.

DON JUAN, *remontant son masque.*

Que la mort me reconnaisse, et que tu répondes :
oui.

LINDA

Ma réponse est non.

DON JUAN

Voilà bien des flagrants délits évités.

LINDA

Je vous quitte, Seigneur. Il faut que je sois
chez mon oncle à sept heures.

DON JUAN

J'attendais cet oncle : tout ici est classique.
Mais cela est très bien : mens-moi donc, que je
sache que tu peux mentir aux autres. Ne te
reverrai-je pas? Demain, par exemple, ici, à quatre
heures.

LINDA

Quatre heures dix. Je ne peux pas avant.

DON JUAN

A ce détail si précis, je comprends que tu ne viendras pas.

LINDA

Je vous donne...

DON JUAN

Que peut donner une femme qui ne veut pas se donner elle-même?

LINDA

Je vous donne ma parole que je viendrai à quatre heures dix.

DON JUAN

Et il y a un second rendez-vous, après-demain, à quatre heures, si tu ne peux pas venir demain. Tu as compris?

LINDA

Oui.

DON JUAN

Répète.

LINDA

Demain, ici, à quatre heures dix, et après-demain à quatre heures.

DON JUAN

Quelle mémoire de fée!

LINDA

Et la broche?

DON JUAN

Quoi! si vite! Attendons un peu de connaître
ta disposition de demain.

Lui donnant la broche.

Tiens, va, prends-la. Je te la donne pour l'amour
de... Non, je ne peux pas dire « pour l'amour de
Dieu »; Dieu ce n'est pas sérieux. Pour l'amour
de qui? Pour l'amour de moi? Bah! disons « pour
l'amour de toi », et qu'on n'en parle plus. — Un
baiser?

LINDA

Allez-y, mais je ne vous le rends pas.

DON JUAN

Parfait. J'ai horreur d'être aimé. — A demain,
quatre heures dix. Et maintenant que votre Fête
des Mères est assurée, je compte que vous me
montrerez beaucoup de plaisir et beaucoup d'esprit. Et pas de soucis, c'est d'accord? pas de
problèmes; une fille à problèmes, il n'en est pas
question. Plus tard, j'espère obtenir aussi que
vous vous détachiez aisément de moi. Ainsi j'aurai
tiré de vous tout ce qu'on peut en tirer.

Linda s'éloigne.

SCÈNE III

DON JUAN, LINDA, ALCACER.

ALCACER, *croisant Linda*.

O yeux, ô oreilles! ô cheveux! ô bouche! ô seins!
ô ongles des doigts, et sans doute ongles des doigts
de ces petits pieds!

LINDA

Eh! Monsieur, soyez correct.

ALCACER

Oh piernas encantadoras! Oh culo divino!

LINDA

Passez votre chemin, malotru. Je ne suis pas
ce que vous croyez.

DON JUAN, *surgissant*.

Monsieur, ma nièce est sous ma protection.
Votre nom. je vous prie.

ALCACER

Je suis le Prince des Cimes.

DON JUAN

Comment?

ALCACER

Le Prince des Cimes.

DON JUAN

Ah! c'est joli.

ALCACER

Oui, ce n'est pas mal.

DON JUAN

Eh bien, Prince, venez vous expliquer dans la ruelle d'à côté, si les crottes de chien nous en laissent la place.

Sous son nez.

Mort aux jeunes!

ALCACER

Bravo. Est-ce qu'on va tuer Mademoiselle? Mais enfin, Monsieur, croyez que je n'ai pas voulu...

DON JUAN

Un jour, mon cher Prince, vous aurez soixante-six ans. Ce jour-là, on rira bien.

ALCACER

Ça va, ça va...

DON JUAN

Ma nièce est la prunelle de mes yeux. De même que ma fortune lui appartient (elle n'a qu'à y puiser), de même ma vie lui appartient : je suis prêt à la risquer pour son honneur. Venez, Linda, peut-être dans un instant vous me verrez étendu mort sur le pavé, humble témoignage de l'amour...

humble témoignage de l'amour qu'un oncle peut
porter à sa nièce.

ALCACER

Monsieur, mon jeune âge, devant vous qui
paraissez approcher de la quarantaine, m'incline à
vous faire des excuses, quoique je n'aie pas à
m'excuser de sentiments qui ne sont que flatteurs
pour Mademoiselle.

DON JUAN

Ma nièce, acceptez-vous les excuses de Monsieur?

LINDA

Je les accepte, mais je ne lui pardonne pas
d'avoir parlé de mes doigts de pied.

DON JUAN

Fi! des doigts de pied, oui, cela est trivial.
Et d'une intimité offensante. Le cul, encore, cela
va. *(Bas.)* Un cul de rêve! *(Haut.)* Mais des doigts
de pied! Exigez-vous des excuses spéciales pour
vos doigts de pied?

ALCACER

Je fais ces excuses, Monsieur; je les fais de grand
cœur, les spéciales et les simples.

DON JUAN

Prince, puisque Linda les accepte, j'accepte
moi aussi vos excuses. Partez seulement dans une
direction qui ne soit pas celle de Mademoiselle.

*Linda sort à droite, Alcacer à gauche. Puis
Alcacer revient.*

SCÈNE IV

DON JUAN, ALCACER.

*Au fond, il arrive aux promeneurs de retenir
leurs chapeaux et leurs capes contre les coups de
vent qui se sont mis à balayer le quai.*

DON JUAN

Avec notre scénario, la voici accrochée, je pense.
Tu as été, à ton ordinaire, parfait. Ah! si ta mère
te voyait dans ces moments-là, quelle fierté! La
prochaine fois, cependant, ne mentionne pas ma
quarantaine; dis : quarante-cinq ans. *(Songeur.)*
Quarante-cinq ans... Quand un homme est marqué par la mort, cela se voit sur son visage. Dis-
moi où je suis marqué.

ALCACER

Nulle part.

DON JUAN

Toutes ces rides...

ALCACER

Ce sont les plis de votre oreiller.

DON JUAN

Parlons d'autre chose.

ALCACER

Il était inutile de me rappeler avec tant de pointe qu'un jour j'aurai soixante-six ans. Je le sais.

DON JUAN

Ce n'est pas à toi que je le disais, c'est au Prince des Cimes. — Que penses-tu de ce petit morceau?

ALCACER

Que vous l'avez traité avec une désinvolture!

DON JUAN

Je traite la prostitution comme il faut traiter la prostitution. Oh! que cela est adorable, cette agonie d'une innocence qui se débat et meurt! Les fruits et les femmes ne sont bons que lorsqu'ils tombent.

ALCACER

Vous n'avez pas dit, selon votre habitude : « Qu'elle se donne, et je croirai en Dieu. »

DON JUAN

J'ai dit cela tant de fois! Mais la femme se donnait, et je ne pouvais toujours pas croire en Dieu. *(Riant.)* Dieu! Jadis, la religion m'indignait. Maintenant, elle n'est plus pour moi que quelque chose de comique.

ALCACER, *un doigt sur la bouche.*

Ch...

DON JUAN

Le don cette fois est certain : Linda est décidée

à se prostituer. On leur fait traverser le cirque comme on le fait traverser aux chiens en leur tendant un morceau de sucre. Je connais tous leurs pauvres petits tours de chiens dressés. Ce n'est pas difficile, d'être Don Juan.

ALCACER

Vous aussi on vous fait traverser le cirque avec un morceau de sucre. Ce morceau de sucre est l'espérance. Vous espérez toujours une nouvelle inconnue pour le lendemain.

DON JUAN

A force de regarder le ciel, on en fera bien sortir une comète. Autre comparaison.

ALCACER

Pour la broche, elle ne vous a pas dit merci.

DON JUAN

Excellent. Si elle m'avait dit merci, je restais un étranger, à l'égard de qui on a des obligations. N'ayant pas dit merci, nous sommes déjà dans les régions du troc, et ce sont ces régions qui sont les bonnes : cela simplifie tellement la vie, d'être intéressé. Je n'ai pas de goût à être aimé pour moi-même. Et d'ailleurs je n'ai jamais rencontré que la prostitution, même quand j'avais vingt ans, puisque toutes les femmes se prostituent : il n'y a que la façon qui diffère, et le plus ou moins de doigté qu'elles mettent à estomper la chose.

ALCACER

Elle n'a pas l'intelligence peinte sur la figure, mais elle l'a peut-être peinte ailleurs.

DON JUAN

Nulle part, fais-moi confiance. D'abord, si elle était intelligente, il y a longtemps déjà qu'elle serait venue dans mon lit. Mais elle deviendra intelligente lorsqu'elle aura de l'argent.

ALCACER

Franchement, vous avez envie d'elle?

DON JUAN

Laisse-moi réfléchir. — Mettons que j'ai envie d'elle à moitié. Les femmes trompent pour cacher ce qu'elles éprouvent, les hommes pour montrer ce qu'ils n'éprouvent pas. Mais je suis obligé d'avoir envie d'elle, par respect pour moi-même. Toutefois, je ne l'attendrai pas plus de dix minutes. Si elle me manque, tant pis pour elle. Cela lui apprendra à passer à côté des riches sans les reconnaître. — Récapitulons. Linda : rendez-vous demain et après-demain. La fille des Trois Lapins, notre chère déficiente : après-demain. J'ai une raison de vivre du moins jusqu'à après-demain. Quarante-huit heures de gagnées.

ALCACER

Tandis que j'écoutais, une femme de belle mine m'a croisé, avec une de ces façons de marcher qui vous prennent à la gorge, et s'est arrangée pour me donner, en s'éventant, un petit coup de son éventail. J'ai remarqué ce côté fauve de sa nuque, confus, avec des poils qui n'osent pas dire leur nom. Ensuite, elle s'est retournée...

Don Juan bâille. Alcacer s'arrête court.

DON JUAN

Malgré ta conquête, tu as quand même entendu

les répliques de Linda? Qu'en penses-tu? Je n'ai
pas envie d'elle, mais la pensée que je ne l'ai pas
me picote. En la prenant, je ne chercherais qu'à
faire passer ce picotis.

> *Alcacer bâille.*

Je ne serais pas tout à fait heureux, si je n'avais
quelqu'un à qui le dire. Ce quelqu'un, c'est toi.
N'empêche que tu bâilles quand je te raconte mes
petites histoires.

ALCACER

Et vous aussi, quand je vous raconte les miennes.

DON JUAN

C'est l'estomac.

ALCACER

Les passants se font plus rares. Le moment est
venu de vous débarrasser de vos lettres.

> *Don Juan tire de sa sacoche un paquet assez
> volumineux, enveloppé de papier, non ficelé.
> Il s'engage sur l'arche du pont, mais, au
> moment de jeter le paquet, un coup de vent
> ouvre le paquet, soulève les lettres déchirées et
> les envoie haut dans le ciel. Les morceaux
> en retombent, comme des flocons de neige, et
> parsèment la place. Des passants regardent ces
> feuillets qui tombent du ciel; un d'eux, puis
> un autre, les ramassent et les lisent.*

ALCACER

Quelle image, ces lettres d'amour volant dans
le ciel! Vous êtes bien puni : voilà la vengeance
des amoureuses dont on jette les lettres. Les passants vont lire : « Mon Juan adoré », des prénoms

de femmes, on va reconnaître des écritures... Y
a-t-il des lettres de la fille du Commandeur?

DON JUAN

Quelques-unes.

ALCACER

Pauvre Ana!

DON JUAN

Elle a manqué de prudence.

ALCACER

Et vous! Vous n'êtes pas brûlé dans cette ville :
vous y êtes carbonisé.

DON JUAN

Quand on a toujours vécu parmi les flammes...

ALCACER

Partons dès ce soir pour Cadix.

DON JUAN

Et mes rendez-vous? Penser que ces pauvres
petites m'attendraient!

ALCACER

Partons, je vous en prie. Qu'attendez-vous pour
prendre des précautions?

DON JUAN

J'attends qu'il soit trop tard.

ALCACER

Une nuit de galop, et vous êtes sauvé.

DON JUAN

Je reste. C'est par ses passions qu'on est sauvé.

*A ce moment, de toutes les fenêtres de droite
et de gauche, des bras tendus vident des pots
de chambre, aux cris de « El agua! » Don
Juan et Alcacer n'ont que le temps de se garer,
et sortent en courant par le milieu de la place,
vers le pont. Mais Don Juan revient, ramasse
le bouquet resté sur le sol, et le pose dans la
niche aux pieds de la Vierge. Puis rejoint
Alcacer.*

ACTE II

Le lendemain. Une clairière dans un bois d'oliviers, aux environs de Séville.

SCÈNE I

LE COMMANDEUR DE ULLOA,
LE MARQUIS DE VENTRAS.

LE COMMANDEUR

Arrêtons-nous un instant, Marquis, pour prendre
l'ombre après cette chaleur de la route. Nous
rejoindrons ma femme au carrosse tout à l'heure.
Quel dommage que son horreur de la campagne
m'oblige à voyager en carrosse avec les volets
fermés! La vue de quatre arbres, pas un de plus,
la met en frénésie. Il faut lui faire prendre l'air
avec les vitres closes, c'est très délicat. — Quand
même, vous allez voir, nous avons un joli tombeau.
Et puis, ce n'est pas pour dire, dans la construction, il y a de l'idée. Cela fait plus d'un an qu'on y
travaille. De vrai, cela ne fait que deux mois, si
on enlève les jours fériés. Je figure au-dessus du
tombeau, assis, dans l'attitude de la méditation :
je médite sur ce que je n'ai pas été. Une main
est appuyée fièrement sur la hanche : cela symbo-
lise la gloire humaine. L'autre main retombe
ouverte : c'est l'abandon à la volonté de Dieu.
Sur la pierre sont sculptées mes armes. En fait
ce sont les armes de la branche aînée, je n'y ai
pas droit; mais cet à-peu-près date d'il y a deux
cents ans, c'est dire qu'il est sanctifié. La croix
est sculptée par-dessus les armes et en travers

d'elles. Elle les barre, en quelque sorte, pour signifier qu'elle les efface, et qu'elles ne sont rien. Vous mesurez la profondeur de l'intention?

LE MARQUIS

Je la mesure. Mais pensez-vous donc beaucoup à la mort, que vous fassiez construire votre tombeau quand vous avez à peine soixante ans?

LE COMMANDEUR

Je ne pense jamais à la mort. Tous les Gitans de Triana m'ont regardé dans la main et m'ont prédit que j'avais vingt ans à vivre. Mais je veux que mon tombeau immortalise que j'ai su que je n'étais rien. Je suis cendre, poussière, néant, crotte de lapin. C'est cela dont je veux qu'on se souvienne dans les siècles futurs.

LE MARQUIS

Quelle majesté dans le concept! Et que cela a d'étendue!

LE COMMANDEUR

Ah! la grandeur! mon cher, la grandeur! — J'oubliais, au fronton du tombeau, une inscription martiale, virile, enfin digne de moi : *J'y suis. J'y reste*. Un scribe est prévu pour assister à mes derniers instants, et recueillir les paroles que je prononcerai, afin de les transmettre à la postérité, — la postérité, cette chose tellement dérisoire!

LE MARQUIS

Mais... votre famille ne peut-elle pas...?

LE COMMANDEUR, *avec hauteur*.

Vous ne voudriez quand même pas que ma

famille sache écrire! — D'ailleurs j'ai arrêté les
paroles que je prononcerai; mieux vaut donc après
tout les lui communiquer dès maintenant, ce sera
plus sûr. L'emplacement choisi pour mon tombeau
est très discret : en retrait d'une trentaine de
mètres de la grand-route. Ainsi le monument n'est
pas sur la grand-route, ce qui serait orgueil exé-
crable, mais les passants de la grand-route peuvent
y accéder par un très court détour, sans rien qui
les provoque à y venir, à l'exception d'un vaste
écriteau.

LE MARQUIS

Je pense qu'en si bon chemin vous avez réglé
aussi vos funérailles.

LE COMMANDEUR

Je veux que mes funérailles soient célébrées
dans la plus stricte intimité, mais qu'il y ait
énormément de monde. Un cadeau est prévu pour
chacun de ceux qui y assisteront : pour les dames
un superbe nécessaire de toilette; pour les messieurs
une paire de bottes à la française en fleur de
vache de première qualité. Je pense qu'avec cela
nous ferons venir toute l'Andalousie. Il n'y aura
pas de discours : seulement quelques paroles émues.
La Comtesse sera soutenue par doña Maria de
Villacabras, sa plus ancienne amie. Les vociféra-
tions traditionnelles seront confiées à des dames
de la petite noblesse, afin que la conscience du peu
qu'elles sont les porte à vociférer avec une retenue convenable à leur rang.

LE MARQUIS

Si je dois vous survivre, comme il est plausible,
croyez que je me ferai un plaisir d'être présent à

la triste cérémonie. Ce qui m'ennuie, c'est que je n'ai pas de gants noirs; mais j'y songe, je vais en acheter.

LE COMMANDEUR

Vamos, Marquis; nous avons assez pris le frais. Après avoir admiré la construction, vous rejoindrez la Comtesse, s'il vous plaît, qu'elle ne s'ennuie pas trop, derrière ses volets fermés. Moi, je reviendrai seul en repassant par ici, car l'idée m'a traversé tout d'un coup que j'y pourrais faire mettre un second écriteau. L'un pour les voyageurs de la route, l'autre pour les rêveurs de la forêt. Je voudrais réfléchir un peu à cela ici, et peser quel endroit serait le mieux pour que l'écriteau soit bien visible. Toujours conduit par le même principe : humilité et effacement.

Ils sortent.

SCÈNE II

LES CARNAVALIERS.

LE CARNAVALIER-CHEF

Le gros est le commandeur de Ulloa : on dirait
tout à fait une de ces figures de Carnaval en
carton-pâte, que nous fabriquons, et qu'on met
sur les chars. Le grand est le Marquis de Ventras.
Le marquis est mon ami, et je n'aurais pas voulu
lui faire de mal, même si les deux seigneurs
n'étaient pas mieux armés que nous. D'ailleurs
nous ne sommes que trois, contre deux.

DEUXIÈME CARNAVALIER

Le Marquis de Ventras est ton ami?

LE CARNAVALIER-CHEF

Les hommes se divisent en deux sortes : les
salauds et les ordures. Les salauds... ce sont les
salauds, ça se comprend tout de suite. Les ordures
sont les flasques, les planches pourries, qui vous
font du mal sans y attacher d'importance, sans
même le savoir, et sans avoir proprement de
méchanceté. Le Marquis de Ventras est une ordure,
c'est-à-dire que c'est quelqu'un de bien. Voilà
pourquoi il est mon ami. J'adore les honnêtes gens.

TROISIÈME CARNAVALIER

Les salauds et les ordures... Et toi, qu'est-ce que tu es?

LE CARNAVALIER-CHEF

Moi? Un peu des deux.

DEUXIÈME CARNAVALIER

Mais enfin, comment le Marquis est-il devenu ton ami?

TROISIÈME CARNAVALIER,
particulièrement minable.

Moi, je prends mes relations plutôt au-dessous de moi, pour garder toujours le haut du pavé.

LE CARNAVALIER-CHEF

Ce soir-là, il y a un an, il me vint une envie de bricoler, et je choisis la maison du Marquis. Les onze coups de minuit sonnaient à l'église du village; onze, parce que l'horloge était dérangée. J'entre chez le Marquis, lequel dormait ou somnolait. Je m'approche en tapinois de son lit, mais voici qu'il lâche un énorme pet. Oh! quel pet! Un pet de maçon...

DEUXIÈME CARNAVALIER

Il est des lieux où souffle l'esprit.

LE CARNAVALIER-CHEF

Ah! poète! — Je ne puis y tenir et éclate de rire. Il s'éveille, saute sur son épée, je braque mes pistolets, mais au moment de se fendre il s'arrête et me dit : « Un instant. Laissez-moi retirer mon grand cordon de la Toison d'or. »

Car il dormait le torse nu, à cause de la chaleur, le grand cordon de la Toison d'or accroché aux poils de ses nichons. Il ajouta rapidement qu'il méprisait la Toison d'or, et ne l'avait recherchée que pour faire le désespoir de ses amis. Je lui demandai pourquoi il me donnait cette explication. Il me dit : « On voit tout de suite à qui on a affaire. » Tu comprends bien que la glace était rompue et je lui dis : « Marquis, croyez-vous que je vais tuer un homme qui pète de la sorte? Asseyons-nous plutôt, et buvons un coup. » Nous soupâmes avec un vieux fromage de chèvre qu'il avait sur sa table de nuit. Je puis même vous révéler qu'il ne mange que la croûte, et laisse le reste : chacun ses goûts. « Ne voulez-vous rien emporter? » me demanda-t-il quand nous eûmes fini. Je refusai, mais il insista, et me donna force argenterie et bimbeloterie. Il voulait même me donner le portrait de sa femme, et, malgré tous mes refus, m'obligea de l'accepter. Voilà comment nous sommes devenus bons amis. C'est bien à tort qu'on dit d'une chose qu'elle est du vent, pour dire qu'elle n'est rien. Le vent est beaucoup, quand il vient à propos.

DEUXIÈME CARNAVALIER

J'entends encore des pas. Encore deux hommes qui viennent.

TROISIÈME CARNAVALIER

Cachons-nous de nouveau.

Ils se cachent derrière des arbres.

SCÈNE III
DON JUAN, ALCACER.

ALCACER

Linda ne viendra pas au rendez-vous. Elle s'est
fait enlever ce matin, au Marché vieux, par un
cavalier cordouan.

DON JUAN

Le pavé me l'a donnée, le pavé me l'a reprise :
que la volonté de Dieu soit faite. Quiconque a
bien compris que toutes les femmes sont inter-
changeables tient pour folie, et folie dégradante,
de se battre pour en conserver une : il la cède
aussitôt qu'elle lui est disputée.

ALCACER

Hélas! notre broche de Tolède...

DON JUAN

Elle l'aura donnée à sa mère : cela m'attendrit.
Faisons toujours danser les mères, même quand
leurs filles ne sont pas pour nous.

LE CARNAVALIER-CHEF, *caché,*
au second carnavalier, caché, à voix basse.

Toi, le poète, tu vas composer sur ta guitare

une valse lente que tu intituleras : *La Danse des Mères.*

ALCACER

Reste la Taverne des Trois Lapins, demain soir, je veux dire sa merveille humaine, mais je vous l'ai assez décrite. Et vous voici d'ici là comme un rat pris au piège, n'osant guère sortir de cette maison de campagne isolée où vous n'êtes pas venu depuis un an, et qui, pour comble d'infortune, est proche des terrassements que l'on fait autour du tombeau du commandeur. Sans parler des carnavaliers, qui logent dans les baraques voisines de celles des maçons, et qui ne valent pas cher.

Mouvements des carnavaliers.

Les carnavaliers travaillent de décembre à février. Le reste de l'année, ils se reposent de leurs travaux. Leur repos est redoutable. — Dieu! le Commandeur!

DON JUAN

Cache-toi derrière ce roc et n'interviens en aucun cas : je te l'ordonne. D'ailleurs, tu es sans armes.

ALCACER

N'oubliez pas qu'il ne sait rien.

Paraît le Commandeur.

SCÈNE IV

DON JUAN, LE COMMANDEUR.

LE COMMANDEUR

Cher Don Juan! quelle joie de vous revoir!

DON JUAN

Cher commandeur, cette joie est réciproque.
                    Ils s'embrassent. Don Juan, à part.
De l'aisance! Toujours de l'aisance!

LE COMMANDEUR

Une qui va partager notre joie, c'est Ana. Elle
vous aime bien, vous savez.

DON JUAN

C'est trop gentil de sa part.

LE COMMANDEUR

Avez-vous été au courant de l'histoire?

DON JUAN

Quelle histoire?

LE COMMANDEUR

L'histoire d'Ana. Elle a eu une histoire.

DON JUAN

Pas une histoire délicate, je pense?

LE COMMANDEUR

Chez elle... un homme...

DON JUAN

Ah! le bandit!

LE COMMANDEUR

On l'a identifié à sa ceinture amarante qu'il
avait laissée dans la chambre d'Ana en s'enfuyant.
Le duc Antonio ne portait que des ceintures amarante. Ils n'ont pas avoué, mais c'était assez
clair. Le duc Antonio! Ce freluquet sans cervelle
et sans poids!

DON JUAN

Vous me voyez confondu. On a beau s'y connaître
en visages, jamais je n'aurais cru qu'Ana... tout
en elle respirait l'innocence. Vous me dites qu'aucun d'eux n'a avoué?

LE COMMANDEUR

Le duc n'a cessé de nier énergiquement.

DON JUAN

Je reconnais bien là ces jeunes fripouilles.

LE COMMANDEUR

Ana, chaque fois qu'on aborde le sujet, pleure
et ne dit rien.

DON JUAN

Et vous avez châtié ce triste sire?

LE COMMANDEUR

Devant la puissance de sa famille, j'ai reculé.
Au vrai, il serait plus exact de dire que j'ai eu
pitié de son jeune âge. Mais son père l'a exilé
aux confins de leurs terres, dans une région déser-
tique et affreuse. Le climat rude et l'inaction le
dévorent : on dit même qu'ils auront raison de
sa vie.

DON JUAN

A ce point? Et cela depuis un an?

LE COMMANDEUR

Sa cervelle se dérange.

DON JUAN

A ce point!

LE COMMANDEUR

Parfois je regrette de ne l'avoir pas tué; c'eût
été plus confortable pour lui, et plus honorable
pour moi. Mais je ne dis pas que, l'occasion s'en
présentant...

DON JUAN

Est-ce que vous feriez cela?

LE COMMANDEUR

Je n'irai pas le chercher, mais que Dieu ne le
mette pas sur ma route, car je ne serais pas maître
de moi.

Un silence.

DON JUAN

Commandeur, le duc Antonio n'est pas le séducteur de votre fille.

LE COMMANDEUR

Allons donc!

DON JUAN

Je l'affirme, parce que je connais le coupable.

LE COMMANDEUR

Son nom?

DON JUAN

Je ne livrerai pas un ami.

LE COMMANDEUR

Je ne vous crois pas. Toute la ville a accusé le duc.

DON JUAN

Sur la foi de quoi?

LE COMMANDEUR

A cause de cette ceinture de couleur amarante. Lui seul à Séville portait de ces ceintures qu'on ne trouve qu'en France, où il a été pour la guerre.

Un long silence. Don Juan défait son pour-point et montre sa ceinture qui est amarante.

LE COMMANDEUR

Quoi!

DON JUAN

J'ai été pendant quatre mois l'amant d'Ana.

PREMIER CARNAVALIER

Non! non! il est vraiment trop bête!

SECOND CARNAVALIER

Il dépasse les bornes!

LE COMMANDEUR

Vous mentez. Pourquoi voulez-vous sauver le duc?

> *Durant toute la réplique suivante, les car-*
> *navaliers répètent en sourdine : « Quel imbé-*
> *cile! Non, mais quel imbécile! »*

DON JUAN

D'abord je la rejoignais au jardin de doña Elvire. Ensuite chez elle. Voulez-vous que je vous décrive sa chambre? Le clavecin à droite en entrant, à gauche la commode, un placard et, dans le placard, ses corsets et ses vêtements de nuit et d'autres choses que je ne veux dire...

LE COMMANDEUR, *dégainant.*

En garde! homme immonde, en garde! Toi, je ne te manquerai pas.

DON JUAN

Je vois que ma famille n'est guère puissante.

> *Il dégaine à son tour, mais déjà l'épée du*
> *Commandeur, appuyée sur sa poitrine, le main-*
> *tient immobile, adossé à un arbre. Don Juan*
> *laisse tomber son épée.*

LE COMMANDEUR

Misérable! demande pardon à Dieu pour tes crimes!

DON JUAN

Je ne demanderai pas pardon à un Dieu qui n'existe pas pour des crimes qui n'existent pas.

LE COMMANDEUR

A genoux! Jette-toi à genoux! Un repentir! Un regret!

DON JUAN

Le regret de ce que je n'ai pas osé faire. Tout ce que je n'ai pas risqué est perdu.

LE COMMANDEUR

Démon!

DON JUAN

Je suis entouré de démons. Moi seul je n'en suis pas un.

LE COMMANDEUR

Ne vois-tu pas que je pourrais te tuer comme une bête?

DON JUAN

Tuez-moi, Commandeur, tuez-moi. Je suis fatigué des explications.

LE COMMANDEUR

Veux-tu être en une seconde dans l'enfer?

DON JUAN

Je veux être en une seconde dans le néant, et ne me sentir plus. Tuez-moi, Commandeur, pour l'amour de ce Dieu qui n'existe pas.

LE COMMANDEUR

Je ne te tuerai pas. Tu en as trop envie, si tu es sincère, mais il est probable que tu ne l'es pas. — Vous êtes désarmé, Don Juan, je ne suis pas un assassin. Je vais vous conduire au gouverneur, qui vous remettra à la justice du Roi.

DON JUAN, *avec mépris.*

La justice du Roi!

LE COMMANDEUR

Qu'est-ce à dire?

DON JUAN

Rien. J'ai une vie privée trop irrégulière pour me permettre d'avoir des opinions politiques.

LE COMMANDEUR

Justice au Ciel et sur la terre. Tel acte, tel paiement.

DON JUAN

Non! non! pas de paiement. Tout éternellement non payé.

LE COMMANDEUR

En vérité... quand j'ai dit : « Tel acte, tel paiement », c'est une parole dont je n'étais pas maître, une parole qui s'en va dans une direction à laquelle d'abord je n'avais pas songé. Vous vous êtes livré parce qu'Antonio est innocent. Vous avez été généreux. Je ne vous remettrai pas au Roi. Tel acte, tel paiement.

Il rengaine.

DON JUAN

J'irai donc au Roi de mon plein gré. On n'accepte pas de paiement pour avoir été honnête.

LE COMMANDEUR

N'allez pas au Roi, Don Juan. Vous vous êtes livré une fois : cela suffit, vous êtes quitte. Éloignez-vous de Séville, pour quelque temps encore. Seules ma femme et Ana sauront ce qui s'est passé. Devant le Roi, j'attesterai que je connais enfin l'insulteur, mais en me refusant à prononcer aucun nom. Le duc Antonio rentrera en grâce, quand je devrais aller moi-même le visiter dans son désert, et lui baiser les mains, pour convaincre le Roi.

DON JUAN

Vous êtes touché par le bien-agir, Commandeur. Je voudrais donc, avant que nous nous quittions à nouveau pour longtemps, vous montrer un peu que je ne suis pas ce « misérable » et cet « homme immonde » que vous avez dit. Vous avez prononcé : « Tel acte, tel paiement », et quand vous le prononciez la première fois, cela signifiait que je devais payer pour quelque chose. Mais pour quoi au juste? Payer pour quoi? le plaisir que j'ai eu, ou le mal que j'aurais fait? S'il faut payer pour le plaisir, soit : il ne sera jamais assez payé; le plaisir que m'ont donné les femmes est le comble de ce que peut donner la créature humaine. Mais le mal? Quel mal ai-je fait? J'ai rendu les femmes heureuses. Les mariées, pourquoi leurs maris ne leur suffisaient-ils pas? Et, des vierges, je dirai ce que disent les hommes de guerre, quand ils pillent les maisons de leurs compatriotes : que s'ils ne le faisaient pas, c'est l'ennemi qui le ferait. Les veuves, je m'occupais avec réserve de l'orphelin. Les nonnes, je comblais d'offrandes leur couvent. Les vieilles filles, je leur donnais des illusions. Les jeunes, je leur apprenais à mûrir, je leur faisais ce que le soleil fait aux fruits. Mais ma gloire la plus sûre est de n'avoir jamais promis le mariage : moi, tromper ces pauvrettes? fi donc! Et si tant de fois les maris ou les mères étaient avec moi complices, c'est parce qu'au fond les familles m'aimaient bien.

LE COMMANDEUR

Votre inconstance...

DON JUAN

Mon inconstance? J'ai été infiniment fidèle. J'ai soutenu pendant des années, de mes soins et de mon argent, une foule de personnes avec qui je ne couchais plus : les avoir désirées une fois les rendait sacrées à mes yeux. Croyez-moi, Commandeur, la trace que j'aurai laissée sur la terre est une trace lumineuse. Quand je considère le nombre incalculable de femmes actuellement vivantes dans le monde et que je n'ai pas eues, je me tiens pour un innocent. Mais je suis bien mieux qu'un innocent : j'aime le genre humain.

LE COMMANDEUR

Évidemment, on aime ce qu'on peut.

DON JUAN

Vous avez l'air de me reprocher quelque chose. Ce que vous me reprochez, c'est d'aimer le genre humain. Il est vrai : quand je prononce le mot *bonté*, je me sens... enfin je me sens... je me sens dans un état qui est flatteur pour un homme de mon âge.

Un temps, assez long.

LE COMMANDEUR

Alors, vous faites toujours l'amour?

DON JUAN

Eh! que voulez-vous que je fasse?

LE COMMANDEUR

Et... vous prononcez souvent le mot *bonté?*

DON JUAN

Oui, souvent.

LE COMMANDEUR

Et, sauf votre respect, vous avez quel âge?

DON JUAN

Sauf mon respect, j'ai eu soixante-six ans en février.

LE COMMANDEUR

Et... vous éprouvez, il faut le croire, beaucoup de joie à cet acte?

DON JUAN

Pour être franc, je vous dirai que je m'y donne plutôt des preuves que des plaisirs.

LE COMMANDEUR, *idiot.*

Des preuves de quoi?

DON JUAN

Mettons des preuves que j'existe. Tout ce qui ne me transporte pas me tue. Tout ce qui n'est pas l'amour se passe pour moi dans un autre monde, le monde des fantômes. Tout ce qui n'est pas l'amour se passe pour moi en rêve, et dans un rêve hideux. Entre une heure d'amour et une autre heure d'amour, je fais celui qui vit, je m'avance comme un spectre, si on ne me soutenait pas je tomberais. Je ne redeviens un homme que lorsque des bras me serrent; lorsqu'ils se desserrent je me refais spectre à nouveau.

LE COMMANDEUR

Le démon de midi.

DON JUAN

Vous êtes trop aimable. Disons : le démon d'onze heures du soir.

LE COMMANDEUR

On vous dépeint en révolte contre la société...

DON JUAN

On ne se révolte pas contre ce qu'on peut franchir ou tourner.

LE COMMANDEUR

On dit que vous vous vengez de tout ce que le monde contient de bêtise et de méchanceté en échappant sans cesse aux lois humaines; que c'est là votre revanche...

DON JUAN

J'aime les lois humaines; du moins je leur tire mon bonnet; gardons-nous à droite, gardons-nous à gauche. Si ma profession n'était pas d'être amant, j'aurais été magistrat.

Mouvements indignés des carnavaliers derrière leurs arbres.

LE COMMANDEUR, *regardant alentour.*

C'est drôle, j'ai l'impression qu'il y a du monde qui nous surveille.

DON JUAN, *regardant de même.*

Mais non, voyons. La solitude est absolue.

Les carnavaliers sont très apparents.

L'an dernier, une jeune fille que j'aimais...

LE COMMANDEUR

Pas un mot sur ma fille! Vous vous oubliez.

DON JUAN

Mais il n'est pas question de votre fille! Elle s'appelait Conception. Ce prénom, Dieu merci, ne nous a pas porté malheur... Je crois que c'est la plus bête que j'aie jamais eue, et ce n'est pas un mince éloge dans ma bouche.

LE COMMANDEUR

Vous avez donc aimé une foule de jeunes filles l'année dernière! Pauvre sot que j'étais, qui croyais que l'amour d'Ana avait été quelque chose pour vous.

DON JUAN

Des milliers d'amours de femmes ont été quelque chose pour moi.

LE COMMANDEUR

La vérité est dans un seul être dont on tire par l'affection, la pratique, le temps, des accords de plus en plus profonds. Du moins j'ai lu cela dans les livres. Rien ne ressemble davantage à une peau qu'une autre peau.

DON JUAN

Rien ne diffère davantage d'une peau qu'une autre peau. Chacune d'elles est entièrement originale.

LE COMMANDEUR

Les femmes sont si pareilles les unes aux autres, comment peut-on avoir la curiosité d'en connaître de nouvelles?

DON JUAN

Pas une ne cède tout à fait comme les autres, même si, après et avant, elle est pareille aux autres. Savoir que le monde est plein de choses bonnes qui vous attendent, et n'avoir pas envie de leur faire dégorger à *toutes* leur bonheur possible, cela n'est ni naturel ni raisonnable. C'est pourquoi je dirai, très sérieusement, qu'un mari qui n'a pas envie de tromper sa femme est pour moi une sorte de malade.

LE COMMANDEUR

Aïe! Ne prononcez pas ce mot de « malade ».

DON JUAN

Pourquoi?

LE COMMANDEUR, *sombre.*

Pour rien. — Mais vous non plus vous n'êtes pas heureux. Si vous allez de femme en femme, c'est qu'aucune d'elles ne vous comble.

DON JUAN

Il y a plusieurs femmes pour qui j'ai une affection véritable et avec qui je goûte, dans le plaisir, les joies de la sécurité et de la durée. En même temps, au-dessus de cela, j'ai ma chasse et mes passades, comme les arpèges que trace la main droite sur le clavier de l'orgue tandis que la gauche y maintient une tenue grave. Je cumule le chan-

gement et la durée. Et ce que je poursuis dans
le changement, c'est toujours la durée.

LE COMMANDEUR, *regardant alentour.*

On dirait encore que quelqu'un nous écoute.

DON JUAN, *regardant de même.*

Regardez vous-même. Il n'y a personne.

Les carnavaliers étant toujours très visibles.

LE COMMANDEUR

Les amours des fillettes, cela va tant qu'il n'y
a pas de soupçons. Aussitôt qu'il y a des soupçons,
et qu'on les interroge, elles avouent tout.

DON JUAN

Votre fille n'a pas avoué.

LE COMMANDEUR

Ana vous aimait.

DON JUAN

Moi aussi je l'aimais. Est-ce que...

Il s'arrête.

LE COMMANDEUR

Est-ce que... quoi?

DON JUAN

Peu importe.

PREMIER CARNAVALIER

Je parie qu'il voulait lui demander si sa gorge
avait beaucoup forci depuis un an.

LE COMMANDEUR

Vous aviez soixante-cinq ans, et vous avez souillé cette petite, qui en avait seize!

DON JUAN

On ne souille pas lorsqu'on donne le plaisir, et je vous certifie que là-dessus... La première fois, quand j'ai eu fini de... elle m'a dit : « Merci. »

LE COMMANDEUR

Elle est tellement bien élevée. *(Sursautant.)* Oh je n'avais pas compris. Oh! scrogneugneu! Vous n'avez pas honte?

DON JUAN

Si l'amour pouvait avoir honte, on ne le peindrait pas nu. Il y en a qui ne comprennent pas que ça leur fait plaisir. Mais elle... Oh! elle est intelligente! L'Arbre de la Science l'enveloppait de son feuillage, qui était mes bras. Toute ma charité me sortait du corps comme une sueur. Quant à mes soixante-cinq ans, elle avait les yeux fermés.

LE COMMANDEUR, *refrénant sa rage.*

Rrr... Morbleu! Ventrebleu!

DON JUAN

Comme si des dizaines de milliers d'hommes de cet âge n'épousaient pas des filles de seize ans!

LE COMMANDEUR

Les parents ont béni ces unions.

DON JUAN

Dites qu'ils les ont faites de force. Ana du moins était libre.

LE COMMANDEUR

Où il y a amour il n'y a plus de liberté.

DON JUAN

Aimable comme elle était, devais-je lui faire cet affront, de ne pas la convoiter? Ç'aurait été du propre! on les dit séduites, elles qui séduisent. La devise de ma famille est : « Nous servons pour l'honneur et pour le plaisir. » En servant votre fille je lui ai fait honneur, et je nous ai fait plaisir. Gloire à Dieu au plus haut des cieux!

LE COMMANDEUR

Rrr... Sacrebleu! Têtebleu! Je ne sais comment je peux vous écouter.

DON JUAN

Moi non plus, je ne sais.

LE COMMANDEUR

Tout cela est inqualifiable.

DEUXIÈME CARNAVALIER

Si tout cela lui paraît inqualifiable, c'est qu'il a peu de vocabulaire.

LE COMMANDEUR

Vous faites le fendant. Vous vous êtes frisé la moustache!

DON JUAN

Je ne me suis pas frisé la moustache. Je me suis lissé un poil du nez. C'est bon!

LE COMMANDEUR

Rrr... Palsambleu! Jarnibleu! L'avoir séduite, encore... Mais lui avoir appris à nous mentir! Pendant six mois, avec nous, elle a baigné dans le mensonge, sans arrêt.

DON JUAN

Quand vous aviez seize ans, ne mentiez-vous pas à vos parents, sans arrêt?

LE COMMANDEUR

Je n'avais pas un inconnu de soixante-cinq ans qui m'apprenait à leur mentir.

DON JUAN

Acceptez-vous, Monsieur, que je vous demande pardon?

LE COMMANDEUR

Pardonner? C'est oublier qu'il faudrait. — Cette petite tête, à table, de l'autre côté de la table, si petite, contenant son autre monde, muet, retranché, hostile, son effrayant autre monde : la fausseté à face d'ange. Ce front si pur, et où son crime devrait apparaître en lettres rouges, comme la marque des galériens. On a tout donné à cela, et cela donne tout à un passant. Et cela vous marcherait sur le corps pour aller à son sale rendez-vous, tandis que cela passe son bras sous le vôtre, et qu'on a envie de lui crier : « Ne me touche pas, serpent! » « On a »? « On aurait », si on savait,

mais on ne devine rien. Aux yeux de ce qu'on a
créé, on est le mariole, le dindon, l'idiot, le cocu-
père. Et cependant, comme un amant, aimer ce
monstre, ô mon Dieu! Vous n'avez jamais eu une
fille, vous?

DON JUAN

J'en ai des quantités, mais je les ai par bonheur
perdues de vue. Et le tableau que vous me faites ne
me porte pas aux regrets. *(Très sincère.)* Tudieu!
Tripoter ma fille! Coquin! tu m'en rendras raison.

Il dégaine, face au public.

LE COMMANDEUR

Rrr... Corbleu! Gorgebleu! La petite chair que
j'ai vue au berceau...

Il dégaine, face au public.

DON JUAN

Le premier qui touche à ma fille!...

Il réfléchit, puis rengaine.

Après tout... après tout... Un benêt de damoi-
seau, là, impitoyable. Mais un homme mûr, de
bonne maison, plein d'expérience et de tact, qui
lui fait éviter les faux pas, hé, hé...

LE COMMANDEUR

Je devrais vous haïr. *(Il rengaine.)* Et je suis
comme paralysé par cet amour que ma fille vous
garde.

DON JUAN

Il m'est une lumière au milieu de mes ténèbres.

LE COMMANDEUR

Vos ténèbres? Quelles ténèbres?

DON JUAN

Je vais finir. Je ne vais plus modeler — fini à
jamais — les gémissements des femmes sous ma
bouche et dans ma bouche. Il y a des moments
où c'est comme une lance qui vous traverse le
cœur, et on crie. D'autres moments où ça s'ar-
range à peu près. J'oublie le passé. Si je pouvais
aussi oublier l'avenir!

TROISIÈME CARNAVALIER

Hi! hi! hi!

DEUXIÈME CARNAVALIER

Pourquoi est-ce que tu ris?

TROISIÈME CARNAVALIER

Parce que c'est triste.

LE COMMANDEUR

Allons! tout le monde vieillit.

DON JUAN

Non, moi seul.

LE COMMANDEUR

Vous avez des souvenirs qui devraient vous
réchauffer.

DON JUAN

Je ne me souviens que des attentes, et des
rendez-vous où l'on ne vint pas. Les songes de
mes nuits ne sont pas pleins des visages que j'ai
eus, mais des visages qui m'ont échappé. J'ai tout
à faire, je n'ai rien fait; tout commence, et tout
finit. A quoi bon avoir vécu, si je ne me souviens

pas? C'est comme si je n'avais pas vécu. Pourquoi
me mirer dans mon passé, si je n'y vois rien?

LE COMMANDEUR

Malheureux! Vous avez vécu dans le monde des
apparences.

DON JUAN

Il y a le monde des apparences. Ensuite il n'y
a rien. J'ai vécu ce rêve que l'homme appelle
amour. Un rêve ou un autre... — Tenez, hier, j'ai
jeté des lettres d'amour dans le Guadalquivir.
Eh bien! au moment où je les jetais, ç'a été comme
si je m'y jetais moi-même. Et quelqu'un qui a fait
ce geste se dit qu'il pourra en effet se jeter dans
le Guadalquivir.

LE COMMANDEUR

Un chrétien, se jeter au fleuve! Quand il est si
simple, si on veut mourir, de gifler, par exemple,
un passant armé, et de ne pas se défendre...

DON JUAN

Se tuer, c'est montrer à tous, de manière indis-
cutable, que l'on ne croit pas en Dieu.

LE COMMANDEUR

Je ne pensais pas que vous fussiez malheureux
à ce point.

DON JUAN

Mais je ne suis pas malheureux!

LE COMMANDEUR

Pas malheureux, après ce que vous venez de
dire?

DON JUAN

Ce n'est pas mon genre de vie qui me rend malheureux, c'est lui qui m'empêche de l'être. Arrivé à mon âge, mon expérience du monde me remplit d'horreur, et c'est seulement dans la chasse et dans la possession amoureuses que cette horreur est oubliée. De tous côtés autour de moi je ne trouve que la nuit noire; mes heures de chasse et d'amour sont les étoiles de cette nuit; elles en sont l'unique clarté. Seulement, n'ayant pas de mémoire, je dis que le bonheur écrit à l'encre blanche sur des pages blanches.

LE COMMANDEUR

Le bonheur... A l'encre blanche, sur des pages blanches... Magnifique formule! me permettez-vous de la communiquer à mon confesseur, le père Aranda? Quelle arme entre les mains de notre sainte Église! Vous avez donné l'estocade au bonheur!

DON JUAN, *contrefaisant*.

Allons! J'avoue : c'est vrai, grande misère que ma vie!

LE COMMANDEUR

Enfin! Vous ne sauriez croire le bien que vous me faites en reconnaissant que vous n'avez pas été heureux. J'en suis rajeuni de vingt ans. Don Juan malheureux, quelle victoire pour nous tous! Et vous avez, n'est-ce pas, un goût de cendre dans la bouche?

DON JUAN

J'allais vous le dire : c'est cela justement, un

goût de cendre dans la bouche. Tenez, regardez
comme j'ai la langue chargée.

Il tire la langue.

LE COMMANDEUR

Je vous dis : « Frère Loup... », comme disait au
loup François d'Assise, — à vous qui avez une
faim douloureuse de femmes fraîches, et souffrez
d'avoir à les dévorer...

DON JUAN, *bas.*

Que va-t-il chercher là? *(Haut.)* Oui, oui, la
souffrance... toujours la souffrance...

LE COMMANDEUR

Quittez la région, Frère Loup. Non, je ne vous
livrerai pas au Roi. J'ai pitié de vous. Ma pitié
vous punit assez. D'autres vous puniront autrement.

DON JUAN

Et pourquoi votre pitié me punirait-elle? Est-ce
que je refuse les femmes qui se donnent à moi par
pitié? Quelle erreur que ne vouloir pas être plaint!
Il est aussi utile d'être plaint de temps en temps,
qu'il est utile d'être de temps en temps méprisé.
Mieux vaut faire pitié qu'envie.

LE COMMANDEUR, *très intéressé.*

D'honneur, croyez-vous bien ce que vous dites
là, Monsieur?

DON JUAN

D'honneur, je le crois fort!

LE COMMANDEUR

Voilà une sorte de parole que j'entends pour la première fois.

DON JUAN

Vous est-elle, par hasard, agréable?

LE COMMANDEUR

Mon Dieu...

DON JUAN

Je serais tellement content de vous avoir fait plaisir. Je vous dois bien ça.

LE COMMANDEUR

Chacun de nous dévore des affronts secrets. Je ne vous cacherai pas que mon âge... la Comtesse...

DON JUAN

Ch... j'avais tout compris. En pareil cas, la femme qui peut vous guérir existe *toujours*. Il ne s'agit que de la trouver.

LE COMMANDEUR

Justement...

DON JUAN

Il y a les très jeunettes et il y a les très expertes. Les très jeunettes, je sais que vous avez sur elles des théories. Alors il y a, mettons — c'est un exemple entre cent, — il y a, par exemple, Madame Bélisaine. Voulez-vous que je lui dise un mot de vous, sans prononcer votre nom?

LE COMMANDEUR

Oui... non... euh... Je vais en parler à mon confesseur.

DON JUAN

Non, n'en parlez pas à votre confesseur. Je verrai ce soir Madame Bélisaine et vous donnerai demain des nouvelles de ma visite. Je vous invite à dîner demain. Un homme à moi se tiendra sur les huit heures au carrefour de Cuatro Caminos et vous mènera à mon habitation secrète, qui n'est pas loin. Il vous masquera, excusez-moi, ce n'est qu'une formalité.

LE COMMANDEUR

Le mot de passe?

DON JUAN

Le mot de passe? « Mort aux jeunes! »

LE COMMANDEUR

« Mort aux jeunes » : voilà qui est facile à se mettre dans la mémoire. Et si sympathique. Oh! il me semble que je rêve. Et je ne crois plus du tout que ce genre de choses laisse un goût de cendre dans la bouche... Qui donc répand ces méchants bruits-là?

DON JUAN

Vous vous êtes frisé la moustache. N'allez pas si vite.

LE COMMANDEUR

J'accepte de dîner avec vous, mais à une condition : il n'y aura pas de petits pois. J'ai horreur des petits pois.

DON JUAN

Et moi aussi, figurez-vous! Nous sommes faits

pour nous entendre. C'est promis : pas de petits
pois.

LE COMMANDEUR

Je tiens en outre à vous prévenir : je mange
salement; c'est une tradition de famille. Je fais
des taches partout.

DON JUAN

Rassurez-vous. J'en ferai moi aussi, étant galant
homme.

Lui passant la main sur le ventre.

Qu'est-ce que vous avez là? C'est votre porte-
feuille?

LE COMMANDEUR, *lamentable.*

C'est mon ventre.

DON JUAN

Vous allez nous faire tomber ça.

Lui prenant la main.

Et pourquoi ces ongles noirs?

LE COMMANDEUR

C'est bien, les ongles noirs!

DON JUAN

Mais non! Il faudra vous nettoyer les ongles...

LE COMMANDEUR

Comment, blancs? complètement blancs? Oh!
mais j'en apprends, des choses! Ah! mon cher Don
Juan, comme il est bon de vous avoir pour ami!

DON JUAN

C'est ce que me disait toujours votre...

UNE VOIX FÉMININE, *dans la coulisse.*

Où êtes-vous, Gonzalo? Vous vous attardez!

LE COMMANDEUR

Ma femme! Je vais tout lui dire.

DON JUAN

Lui dire quoi?

LE COMMANDEUR

Votre acte vil et votre acte noble.

DON JUAN

Elle ne pensera qu'à sa fille, et nous allons voir
ce que nous allons voir.

LE COMMANDEUR

La Comtesse a l'âme haute. Devant votre attitude chevaleresque elle vous pardonnera comme
je vous ai pardonné. Tout ce qui exalte les femmes
leur donne un frémissement spécial. Vous allez
voir la Comtesse dans son frémissement spécial.

DON JUAN

La situation où vous me mettez est très pénible.

LE COMMANDEUR

Enfin, est-ce que je connais ma femme, oui ou
non? ma compagne de quarante-trois années?

La Comtesse paraît. Elle est monumentale.

DON JUAN, *à part.*

De l'aisance! Toujours de l'aisance!

SCÈNE V

LE COMMANDEUR, DON JUAN,
LA COMTESSE DE ULLOA.

LA COMTESSE

Don Juan! Quelle heureuse surprise!

LE COMMANDEUR, *bas, à Don Juan.*

Jetez-vous à ses pieds.

DON JUAN, *bas.*

Permettez! Un instant!

Il baise la main de la Comtesse.

LE COMMANDEUR

Comtesse, je vous présente l'homme le pire et le meilleur du monde. C'est lui qui était chez Ana, la nuit fatale. Mais c'est lui qui m'en a fait l'aveu, de son propre mouvement, pour innocenter Antonio.

LA COMTESSE

Lui, chez Ana? La ceinture amarante...

LE COMMANDEUR

C'était la sienne. *(A Don Juan.)* Montrez votre ceinture, voyons...

LA COMTESSE

Et vous êtes là, sans rien faire! Tuez-le! Qu'on l'empoigne!

LE COMMANDEUR, *à Don Juan.*

Jetez-vous à ses pieds. Qu'est-ce que vous attendez?

LA COMTESSE

Holà! Marquis! Holà! mes gens! à l'aide! à l'aide!

LE COMMANDEUR

Comtesse, il est sous ma protection. Vous ne savez pas le service qu'il s'apprêtait à me rendre. Et à vous, Comtesse, à vous. A nous deux, ma toute belle.

LA COMTESSE, *à Don Juan.*

Avance ton visage, monstre, que je te crève les yeux.

Elle le menace d'une de ses épingles à cheveux. Don Juan se couvre, puis tire son épée.

Il tire son épée contre une faible femme! Lâche! Couard! Attaquez-le, Gonzalo. Il a tiré son épée contre moi.

LE COMMANDEUR, *tirant son épée.*

Défendez-vous, Don Juan. Vous voyez bien qu'il nous faut nous battre. Ma femme l'ordonne, ma compagne de quarante-trois années.

Ils ferraillent.

LA COMTESSE

Pourriture! Ignoble individu!

DON JUAN

Eh! Madame, respectez un père de trente enfants!

LA COMTESSE

Satyre! Répugnant personnage!

De son épingle à cheveux, elle lui pique les fesses.

DON JUAN

Commandeur, vous êtes témoin que la Comtesse me pique le derrière!

Ils ferraillent. Mouvements divers et mimique de supporters des carnavaliers derrière leurs arbres. Don Juan se défend mollement. Dans un mouvement trop vif, le Commandeur se jette sur l'épée de Don Juan, et tombe transpercé. Don Juan s'enfuit en criant à Alcacer, qui est apparu : « A cheval, Alcacer! En route pour Cadix! »

LA COMTESSE, *agenouillée au flanc du cadavre.*

Amor de mi alma! Son cœur bat-il encore?

Elle pose la main sur le côté droit de la poitrine du Commandeur.

Ah non! je me suis trompée de côté.

Elle pose la main sur le côté gauche.

Rien à droite, rien à gauche, il est mort de tous les côtés. *Amor de mi alma!* Je me poignarderai sur ton tombeau. Je me l'arrache, mon peigne de Talavera! Je me l'arrache, ma mantille! Je me l'arrache, mon admirable châle du xve siècle, payé trois mille cinq cents douros plus mille douros pour la doublure! Je me les arrache, les cheveux, et je me la laisse pousser, la barbe!

> *Elle jette sa perruque, comme elle a jeté, un à un, les autres objets cités.*

Pobrecito, que la Virgen de las Lagrimas te lleva de la tierra y te haga subir al cielo! Je me le saccage, mon soutien-gorge. Je me le pulvérise, mon corset. Je me les déchire, les nénés!

> *Elle fait comme elle dit.*

Ay de mi! Señor, tu que eres justo! mi vida por la suya! Que no puede el amor?

> *Les carnavaliers sont sortis de leurs cachettes et entourent le cadavre.*

LE CARNAVALIER-CHEF

Messieurs, chapeau!

> *Ils mettent la main à leurs chapeaux, qu'ils n'ont pas.*

Quelle douleur vraiment espagnole!

LA COMTESSE

Angelillo del cielo, permite que yo ponga mis labios de terciopelo carmesi (au public) « que je pose mes lèvres de velours cramoisi » *en tu frente purisimo. Unidos! siempre unidos! (Au public.)* Ça, naturellement, ça veut dire : « Unis! unis à jamais! »

LE CARNAVALIER-CHEF

Jouons un air funèbre, mais, pour nous conformer à la modestie bien connue du défunt, faisons-le avec un comble de réserve et de discrétion.

> *Ils commencent par gratter très doucement sur leurs guitares, avec les mines pénétrées qui sont de circonstance, puis s'excitent et finissent par faire un vacarme épouvantable, accompagné des grimaces inhérentes au* cuadro flamenco.

ACTE III

Le lendemain. La pièce principale de la venta de Don Juan, dans la campagne de Séville, maison visiblement inhabitée depuis longtemps. Deux portes dans le fond. Lucarne au premier.

SCÈNE I

ALCACER

Quelle folie est la vôtre, de vouloir rester jusqu'au rendez-vous de ce soir avec cette souillon
bégayante et boiteuse! Vous êtes comme le renard
qu'on appâte d'une volaille, qui flaire très bien le
piège, et qui vient quand même, tant il a d'envie.
Linda ayant disparu, rien ne vous empêchait de
quitter Séville aussitôt le malheur accompli. Cependant nous voici dans votre campagne, comme si
de rien n'était, alors que tous les archers de la
Sainte Hermandad doivent être à vos trousses.

DON JUAN

Ils sont à mes trousses plutôt vers Cadix, puisque
j'ai eu soin de te crier : « A cheval vers Cadix! »
La Comtesse a dû en faire son profit.

ALCACER

Dire que votre tête est en jeu à cause d'une
bonne action! C'est parce que vous avez voulu
sauver Antonio qu'il vous a fallu vous battre, et
que vous avez tué sans le vouloir, et que vous
êtes devenu un criminel qu'on recherche.

DON JUAN

Ne parlons plus de cela. L'honneur est triste.
— Mais peut-être, qui sait? aurais-je fini par me
livrer au Commandeur, même s'il ne m'avait pas
ému avec le malheur d'Antonio. J'aime mes ennemis.

ALCACER

Oui, vous aimez vos ennemis : vous avez tous
les vices.

DON JUAN

Mes vices sont mes vertus retournées.

ALCACER

Votre confiance vous perdra un jour.

DON JUAN

Elle m'a déjà perdu bien des fois.

ALCACER

Et vous recommencez!

DON JUAN

La nature m'a fait sans mémoire, pour que
j'oublie les offenses de mes ennemis.

ALCACER

Il me semble que dans l'affaire d'Ana c'était
plutôt vous l'offenseur.

DON JUAN

Le Commandeur m'a offensé en étant le père.

ALCACER

Hélas, extravagante confiance, grandeur d'âme insensée! Il y a un démon qui a nom Confiance.

DON JUAN

Je n'ai pas confiance, mais j'agis comme si j'avais confiance.

ALCACER

Quand vous lui avez dit que vous aviez un goût de cendre dans la bouche, c'était par charité?

DON JUAN

Oui.

ALCACER

Comme Madame Bélisaine.

DON JUAN

Oui.

Désignant un divan.

Clos les persiennes et laisse-moi m'étendre un instant dans l'ombre afin de rêver à la souillon de ce soir.

ALCACER

Vous vous étendrez et rêverez quand nous aurons passé la frontière.

DON JUAN, *étendu sur le divan, les yeux fermés.*

Une pensée pour l'amour... Une pensée pour la mort... — Une pensée pour l'amour... Une pensée pour la mort...

ALCACER

Levez-vous! Tout cela est absurde!

DON JUAN, *étendu.*

Une pensée pour l'amour...

ALCACER, *le prenant par le bras*
et le forçant à se lever.

Me jurez-vous du moins que nous partirons cette nuit, aussitôt que vous aurez vu la souillon?

DON JUAN

Je te le jure. Nous serons en route cette nuit pour le Portugal. Et cependant, pauvre enfant, renoncer à elle me chagrine. Après la description que tu m'en as faite, elle croira que nous la dédaignons. Je n'aime pas faire de la peine aux femmes, ni surtout les humilier.

ALCACER

En pensant à elle, vous avez prononcé *in petto* le mot *bonté.*

DON JUAN

C'est cela même.

ALCACER, *frissonnant.*

Si on vous prend, on vous décapitera peut-être...

DON JUAN

Bah! Je ne serai pas le premier. Considère aussi que ce temps d'arrêt que je marque — pour rêver à la souillon — c'est par lui que je garde ma dignité. Je garde ma dignité, pour une raison indigne.

ALCACER

Votre dignité vous mènera en prison.

DON JUAN

La peur elle aussi est une prison.

ALCACER

N'êtes-vous pas inquiet?

DON JUAN

Si, je suis sans cesse inquiet. Je songe sans cesse à celles qui passent, à celles qui existent. Malheur! tout ce qui n'est pas à moi, et je vais mourir. Je vais mourir, quand j'avais du travail devant moi pour dix mille ans.

ALCACER

Ah! si vous vous donniez, pour sauver votre vie, la moitié seulement de la peine que vous vous donnez pour vos amours!

DON JUAN

C'est si ennuyeux, de sauver sa vie.

ALCACER

Savoir si le Roi voudra que vous soyez coupable, ou s'il ne le voudra pas.

DON JUAN

Tu as résumé en quelques mots l'institution de la justice humaine.

ALCACER

Votre frère interviendra auprès du Roi.

DON JUAN

Mon frère! Plutôt mourir qu'obtenir sa grâce de ce qu'on méprise.

ALCACER

Vivre! vivre! D'abord vivre!

DON JUAN

Cela n'est pas vivre, que ne rien faire d'autre
que conserver sa vie. Il ne s'agit pas de vivre, il
s'agit d'être heureux, et heureux dans l'honneur,
ce qui est encore un problème. Quand nous évo-
quons ce qui menace de nous tuer, nos amis
détournent la conversation. C'est cette indifférence de nos amis qui nous glace plus que tout,
à l'heure de l'extrême péril. Mais toi, au contraire,
tu te troubles où je ne me trouble pas.

ALCACER

Je voudrais mettre ma cape, une fois de plus,
entre le taureau et vous.

DON JUAN

Laisse faire une fois le taureau. Il a droit à sa
chance, lui aussi. — Mais je vois des larmes dans
tes yeux... Cher fils, enfant de mes reins, voilà
des larmes qui valent à elles seules les larmes de
toutes mes maîtresses : quelques gouttes, plus
pures que ce vaste château d'eau. On n'aime
d'amour avec un grand *A* que ceux qu'on ne peut
pas aimer autrement.

ALCACER

Pardonnez-moi ces larmes; elles m'ont échappé.
Allons, il n'en reste plus trace.

DON JUAN

Je songe à ce peuple de mes bâtards et de mes
bâtardes. Mes bâtardes, hélas, le souci d'une morale

que j'honore ne me permet pas de m'intéresser à
elles : je sais trop à quelles tentations il faudrait
que je résiste. Par contre, mes bâtards n'ont jamais
cessé de m'aider et de me protéger. Toi cependant,
le plus malin d'entre eux, tu as compris que ta
destinée n'était ni la Cour, ni l'Église, ni l'armée,
ni le mariage putride et stupide. Tu as ta guerre,
qui est la mienne. Tu es resté auprès de ton vieux
père pour contribuer à son bonheur, en rabattant
vers lui une multitude de femmes, qui s'ajoutent
à celles qu'il lève lui-même, et en les lui mettant
en place comme le torero met en place le taureau
à l'intention de son matador : on n'est pas trop
de deux pour les travaux forcés de la galanterie.
C'est d'ailleurs, mon cher complice (et y a-t-il un
plus beau nom que celui de complice?), c'est d'ailleurs depuis que tu me sers ainsi — depuis onze
ans — que je ressens pour toi l'amour paternel,
qui, je l'avoue, me titillait assez peu auparavant.

Le regardant avec émotion.

O mon fils! ô ma pensée profonde! Toi qui sais
tout de moi, et que je ne crains pas... Ne me quitte
jamais. Accompagne-moi jusqu'à la fin.

ALCACER

Je ne vous quitterai jamais, mon père, car je
vous dois trop. Ce que j'ai appris à votre école,
dans votre tauromachie, c'est la connaissance des
êtres, l'art de convaincre, l'ingéniosité et l'agilité
de l'esprit, la persévérance, la décision; surtout,
avant tout, c'est l'indomptable courage, un courage quelquefois voisin de la folie. Que ne faut-il
pas de courage, en effet, pour sortir chaque matin
de chez soi en se disant qu'on pourra être tué dans
la journée par un mari, un père, un frère, un

amant, un cousin? Encore ne parlé-je pas de la
police et de la justice, dont nous éprouvons aujour-
d'hui les effets. Et cela sans jamais un arrêt,
depuis combien? depuis cinquante ans?

DON JUAN

Depuis cinquante ans tout juste. Et comme il
n'y a qu'un seul moyen tout à fait sûr de plaire
aux femmes, c'est la vulgarité, tu peux te dire
aussi que depuis un demi-siècle je joue la comédie de la vulgarité. Ne t'étonne donc pas si j'ai
des rides, comme tous les vieux acteurs. Mais sur
un point tu t'es trompé, mon petit : en parlant
de mon courage. Il n'y a pas besoin de courage
quand on est porté par une passion.

> *Sortant un papier de sa poche et griffonnant.*

Je cours le risque d'être arrêté d'un moment à
l'autre. Je te fais donc cadeau tout de suite de
vingt millions en doublons d'or. *(Il lui donne le
papier.)* Sur le vu de ce billet, Mosès te comptera
cela à Lisbonne, ou Guzman à Séville si je suis
arrêté avant d'avoir passé la frontière.

ALCACER

Réfléchissez. Vous pouvez en avoir grand besoin
au Portugal.

> *Geste de Don Juan. Sens : « Tant
> pis! »*

Vous agissez en *desesperado*.

DON JUAN

Tout ce que je fais est toujours fait en *desesperado*. A cause de mon âge. Et à cause de mon style
de vie.

ALCACER

Quand je pense à tant de mauvaises comédies
où des fils usent de mille stratagèmes pour tirer
quelques écus de leur père!

DON JUAN

Oui, mais cette fois nous sommes dans une tragédie.

ALCACER

Je les placerai dans les affaires de Gutierrez,
après avoir pris conseil de Don Ramire. A moins
que je ne les prête aux frères Los Santos, à un
taux avantageux. Ou peut-être — oui, ce serait
une idée — les investir dans une flotte en partance
pour les Indes. On dit qu'il y a en ce moment
beaucoup de possibilités intéressantes. Il va falloir
que je m'informe.

DON JUAN

Informe-toi. Cela t'occupera. Tu auras du loisir,
quand je serai arrêté.

ALCACER

Mais vous ne serez pas arrêté, mon père. Tous
mes pressentiments sont maintenant favorables.

DON JUAN

Ne m'encourage pas trop, ou je reprends mes
vingt millions.

ALCACER

Demain, à tête reposée, je vous remercierai
mieux.

DON JUAN

Parfait. Rendez-vous demain à six heures, pour
que tu me remercies. *(Un long silence. Puis, acca-*
blé.) Ce n'est pas gai, de donner de l'argent.

ALCACER, *accablé.*

Eh oui! je comprends.

DON JUAN, *accablé.*

On a honte. *(Levant brusquement la tête et regar-*
dant par la fenêtre.) Un carrosse s'arrête... Une
femme en descend. — La veuve de Trespelos!
Hélas, je suis puni par où je n'ai pas péché. C'est
une veuve qui depuis vingt-six ans me poursuit
en vain de ses feux : elle est de bois sec, et c'est
pourquoi elle brûle si fort. C'est d'ailleurs une
double veuve : elle a tué sur elle deux maris.
Ainsi donc elle a découvert ma retraite!

ALCACER

Trois monstres descendent avec elle du carrosse.
Il y en a un qui ressemble à un singe, l'autre à un
goret, et le troisième à un littérateur.

DON JUAN

Ce sont des doctes : je le reconnais tout de suite
à leurs tournures ridicules. Quand tu en auras
assez d'eux, tire ta rapière : ils s'évanouiront à
l'instant comme des fumées. Mais que diable
viennent-ils faire ici?

ALCACER

Cachez-vous, ils arrivent.

SCÈNE II

ALCACER, LA DOUBLE VEUVE, PREMIER PENSEUR-
QUI-A-DES-IDÉES-SUR-DON JUAN, SECOND PENSEUR-
QUI-A-DES-IDÉES-SUR-DON JUAN, TROISIÈME PEN-
SEUR-QUI-A-DES-IDÉES-SUR-DON JUAN.

*La double Veuve, plutôt haridelle, est attifée
incroyablement. Les Penseurs sont difformes comme
on pouvait l'être dans l'Espagne du XVIIᵉ siècle.
Le premier Penseur (le « docteur ») est bedonnant et
dindonnant. Le second (le littérateur) est minuscule,
hydrocéphale, barbu, cagneux, avec une voix d'eu-
nuque. Le troisième (le philosophe) est long comme
une asperge, et lunaire. Tous avec des lunettes extra-
vagantes.*

LA DOUBLE VEUVE, *à Alcacer.*

Don Felipe, je sais que vous êtes l'ami de Don
Juan. Ces messieurs sont de grands admirateurs
de Don Juan. Dans la pénible circonstance qui
met sa vie en danger, ils ont voulu lui témoigner
par votre entremise leur sympathie. Tous pensent
que Don Juan a dépassé le stade de la personne
pour accéder à celui du mythe. Vivant, il est déjà
l'objet de leurs travaux.

*La tête levée, elle renifle l'air à petits
coups.*

ALCACER

Vous trouvez que ça sent le renfermé. Excusez-moi...

LA DOUBLE VEUVE

Ça ne sent pas le renfermé. Ça sent l'homme. *(Présentant le premier Penseur.)* Angelus Bornibus, le grand docteur international, qui part mercredi pour le congrès de Munich. *(Présentant le second Penseur.)* Don Tintin de Retintin, soleil de nos lettres, qui a été le triomphateur du récent congrès de Bologne. *(Présentant le troisième Penseur.)* M. le Catedratico Blablabla y Blablabla, titulaire de la chaire d'organo-psychie à l'Université de Corral de las Gallinas, bien connu pour sa belle étude : *Le mythe, l'antimythe et la démystification du mystifié;* M. le Catedratico revient du congrès de Paris. Tous ces messieurs de classe internationale. *(Aux Penseurs, impérieusement.)* Prenez des sièges, installez-vous, parlez-nous de Juan! Donnez-nous vos clefs!

PREMIER PENSEUR

Les motifs anamnestiques, étiologiques et symptomatiques du défoulement sexuel de notre héros peuvent se réduire à un seul : il est en quête de l'absolu, c'est-à-dire de Dieu. Tout être raisonnable croit en Dieu et, par conséquent, les grands esprits plus que quiconque...

ALCACER

Je lui ai souvent entendu dire que, le côté par où ils y croyaient, c'est le point pourri dans un fruit sain.

PREMIER PENSEUR

Voilà une phrase qui prouve typiquement le besoin qu'il a de Dieu.

ALCACER

Sachez que Don Juan a horreur des prêtres, et tourne la tête quand il en croise un.

PREMIER PENSEUR

Là encore, je retrouve Dieu. Toujours Dieu!

ALCACER

Mais enfin, sa vie si complètement et sans cesse opposée à la loi chrétienne...

PREMIER PENSEUR

Dieu, vous dis-je! Dieu! Que vous le vouliez ou non, Don Juan est plein de Dieu. Mais, tout ce qu'il est, il ignore qu'il l'est. Il y a ce que l'on pense et ce que l'on croit penser.

LA DOUBLE VEUVE

Admirable! Comme cela est vu! Quelle clef! Quelle clef!

> *La double Veuve hausse le gras de son bras nu, d'un geste saccadé, jusque sous le nez du premier Penseur, pour qu'il le baise. Ce qu'il fait. Elle donne la parole au second Penseur.*

SECOND PENSEUR

Dans ce lieu où a vécu Don Juan, dans ce lieu qui bourdonne encore de la vibration de sa recherche, ce n'est pas seulement l'absolu du divin qu'il a poursuivi à travers les femmes, c'est un

absolu pareil à celui de l'art. Le drame du séducteur, c'est le drame même de l'artiste, qui n'arrive
jamais à réaliser parfaitement ce qu'il imagine,
comme Don Juan n'arrive jamais à réaliser l'amour.
Don Juan, ou le créateur sans le savoir. Car Don
Juan n'a notion ni qu'il est un symbole ni du
symbole qu'il est.

LA DOUBLE VEUVE

Voilà qui est définitif. Merci! cher, merci! *(Elle
lui tend son bras à baiser, comme précédemment,
et fait signe au troisième Penseur de parler.)* Mon
cher Catedratico...

TROISIÈME PENSEUR, *s'écarquillant*
de temps en temps l'œil gauche
entre le pouce et l'index.

Seigneur Alcacer, il vous faut connaître et
reconnaître que vous n'êtes pas entité mais iden-
tité. Il existe entre vous et Don Juan une interac-
tion psychologique. Votre fonction est d'éliminer
tous les éléments susceptibles de mettre un frein à
sa personnalité. Don Juan ne peut être si témé-
raire et si désinvolte que parce que sa peur, ses
scrupules et la critique de ses actions viennent
s'incarner dans votre peur, dans vos scrupules et
dans votre critique.

ALCACER

Ma peur! Mes scrupules! Ma critique!

TROISIÈME PENSEUR

Bref, vous constituez la représentation ou la pro-
jection de la partie de la personnalité de Don Juan
étrangère ou contraire à son moi conscient.

LA DOUBLE VEUVE

Bravo! cher, formidable! Oh! quelle clef! quelle clef!

TROISIÈME PENSEUR

Vous êtes une nécessité technique. Vous n'êtes pas un être à proprement parler. Vous êtes tout au plus un être négatif.

ALCACER

Merci. *(Bas, à la Veuve.)* Pourquoi est-ce qu'il s'ouvre l'œil comme cela à chaque instant?

LA DOUBLE VEUVE, *bas.*

Parce qu'il a une paupière qui retombe à cause de sa fatigue cérébrale. Vous savez, il pense énormément.

ALCACER

Et, bien entendu, ce rôle négatif que je joue, je ne m'en rends pas compte?

TROISIÈME PENSEUR

Bien entendu. Voyons, est-ce que vous vous en rendez compte?

LA DOUBLE VEUVE, *tendant son bras
à baiser au Penseur.*

Vous n'avez rien d'autre à dire?

TROISIÈME PENSEUR

Non. J'ai pensé.

LA DOUBLE VEUVE, *lui marchant
sur le pied.*

Pensez encore un peu, cher! C'était bien mieux hier quand vous l'avez dit chez moi.

TROISIÈME PENSEUR

Je répète que j'ai pensé.

ALCACER

Et moi, Messieurs les intelligents, je tiens que vous n'êtes pas intelligents du tout. Car, dans tout ce que vous dites, vous voyez toujours ce qui n'est pas, vous ne voyez jamais ce qui est.

PREMIER PENSEUR

Ce qui est! Pour qui nous prenez-vous?

TROISIÈME PENSEUR, *avec écœurement.*

Ce qui est!

ALCACER, *au premier Penseur.*

Ce qui est, c'est d'abord que Don Juan ne croit pas en Dieu, s'en trouve fort bien, et n'a nulle envie d'y croire. *(Au second Penseur.)* C'est que l'idée que sa recherche soit analogue à la recherche de l'artiste est une idée qui peut être soutenue comme n'importe quelle idée peut être soutenue, autrement dit qu'elle est zéro. *(Au troisième Penseur.)* Quant à ceci, que je sois le double négatif de Don Juan, c'est une simple insanité, qui ne mérite même pas d'être contredite. Vous avez chacun votre clef, mais les portes qu'ouvrent vos clefs donnent sur le vide. Don Juan et moi, dont vous avez tous conclu en disant que nous étions des imbéciles, c'est nous qui sommes les intelligents, et non vous. Car, pour naviguer dans une vie aventureuse à l'extrême, pleine de traverses et de chausse-trapes, nous avons dû bien connaître ce qui est, le connaître d'une connaissance très exacte et très juste, et c'est cela, être intelligent.

PREMIER PENSEUR

D'après tout ce que nous savons, l'intelligence de Don Juan est nettement au-dessous de la moyenne, et il est presque un simple d'esprit.

LA DOUBLE VEUVE

Oh! voyons, ce n'est pas possible! Moi qui aime tant la culture!

SECOND PENSEUR

Il est d'ailleurs nécessaire qu'il ne soit pas intelligent pour que — nous autres — nous puissions mettre en lui tout ce qui ne s'y trouve pas. Don Juan, c'est une défroque, un sac vide.

TROISIÈME PENSEUR

Un prétexte. Pour penser sur lui, nous n'avons pas besoin de lui. Sans nous, il n'existerait pas. Mais, après tout, existe-t-il? C'est une question qui vaudrait d'être soulevée.

ALCACER

Eh bien! Messieurs les admirateurs de Don Juan, il ressort de tout ce que vous dites que vous avez offensé Don Juan, et que je me sens offensé pour mon ami. Et alors...

Il fait mine de tirer son épée. Les trois Penseurs bondissent de leurs chaises, et déguerpissent dare-dare par la porte.

SCÈNE III

ALCACER, LA DOUBLE VEUVE.

LA DOUBLE VEUVE

Excusez-les. Ils n'ont peut-être pas beaucoup
de poil, disons au cœur, mais lorsqu'il s'agit des
idées, ils sont intrépides : ils ont du poil au cerveau.
Bien entendu, leurs idées sont absurdes...

ALCACER

Absurdes? Vous ne sembliez pas...

LA DOUBLE VEUVE

Il faut que je les admire, cela est nécessaire à
ma situation mondaine. — Ne me répondez pas :
je sais que Don Juan est ici. Derrière cette porte?
Derrière celle-là? Derrière celle-là, mon cœur me
le dit; il me le dit, l'amour qui ne trompe pas.
*(Elle s'arrête devant une des deux portes intérieures,
cependant que Don Juan passe un instant la tête
par une petite lucarne au premier.)* Je devine son
cœur battant de l'autre côté de la porte. Quelle
présence insensée!

ALCACER

Ça sent l'homme.

LA DOUBLE VEUVE

Tu l'as dit. *(Contre la porte.)* O mon Juan! éternellement à toi. Tienne, toute. Moi à toi. Toi! toi! J'implore toi en moi. Oui, toi, tout. Éternellement. Toujours. Jamais.

ALCACER

Vous vous trompez, Madame. Celui que vous cherchez n'est jamais venu ici.

LA DOUBLE VEUVE

Tu m'as rebutée; je t'en aime davantage. Tu es ma plus profonde humiliation; là est la pointe que tu enfonces en moi. Que tout ce qui me fait du mal me fait du bien! Pour dire un tel bonheur il n'y a que les larmes. *(Elle essaye d'ouvrir la porte, qui ne s'ouvre pas.)* Si une créature me prédisait la mort de mon amour, je lui crierais : « Tu mens! » Et si c'était un ange je lui crierais : « Je te connais, c'est toi qui es tombé du ciel! » *(Nouveaux essais d'ouvrir la porte. Bas.)* Chameau! il a fermé la porte à clef.

ALCACER

Don Juan serait là, qu'il sortirait illico. Il ne pourrait pas y tenir : vous parlez un langage tellement poétique.

LA DOUBLE VEUVE

J'ai une maladie de poitrine, cher Monsieur : c'est ce qui me rend littéraire. Mais vous ne sauriez croire comme je me sens mieux depuis que je suis dans cette pièce tout imprégnée de lui. Toucher un de ces objets, c'est comme si je touchais sa main!

ALCACER

Est-il possible que Don Juan ne vous aime pas?

LA DOUBLE VEUVE

N'est-ce pas? Ce n'est pas croyable. J'ai compris qu'il m'aimait le jour où il m'a dit que j'étais une crétine. Ensuite il s'est éloigné. Pendant vingt-six ans. Mais son indifférence est très relative : l'indifférence n'a pas cette cruauté. Le sentiment qui l'attache à moi est bien plus riche que celui qu'il éprouve pour ses maîtresses. Son indifférence, c'est l'envers d'un amour. Ou la rage de ne pas l'éprouver. Enfin nous savons que les amours partagées brûlent un instant et retombent : les autres durent. D'ailleurs, tout cela est dans mon horoscope. *(Écoutant.)* Oh! ce petit bruit de deux mouches accouplées qui, étourdies d'amour, tombent d'un jet sur une dalle! *(A Alcacer, qui lève le pied pour écraser les mouches.)* Ne les écrasez pas! *(Regardant rêveusement les mouches.)* Ah! s'il avait voulu! Penser qu'il est passé à côté de moi sans me reconnaître! Une femme belle, intelligente, et dotée d'un magnifique tempérament sensuel, c'est ce qui a manqué dans sa vie, — une vie qui, faute de cela, est un échec total. Et moi aussi ma vie, à cause de lui, est devenue un échec : il y a vingt-six ans qu'il m'empêche de me remarier. Pourtant je ne lui en veux pas : j'ai l'âme trop haut placée. — Écoutez. Quatre sbires étaient ce matin dans ma rue, interrogeant tous les passants. « N'avez-vous pas vu un homme qui...? » Suivait la description de Don Juan.

ALCACER

Qu'a-t-il donc fait qui mérite qu'on le recherche?

LA DOUBLE VEUVE

Ne vous moquez pas de moi. — Enfin, à une
heure, le crieur public est passé et a annoncé une
prime de cinq mille douros pour quiconque don-
nerait un renseignement permettant de le capturer.
(S'adressant vers la porte.) Juan, je vous dis que
vous trouverez sécurité, contre qui que ce soit,
dans ma maison. Frappez trois coups rapides, puis
deux espacés, puis un temps, puis quatre coups
espacés, puis trois coups rapides, puis un temps
plus long, puis deux coups rapides, et on vous
ouvrira. C'est pour vous dire cela que je suis
venue, non pour rien d'autre. Je l'ai dit. Que n'ai-je
pu mettre tout le sang de mon cœur dans mes
mots! *(Elle tire un médaillon de son sein, et le pose
sur la table.)* Je vous laisse mon image : elle vous
protégera. Mon mari aimait tant ce médaillon!
Adieu. Je prierai chaque jour pour vous. *(Agitation
dans le grenier.)* Qu'est ce bruit? Y a-t-il du monde
au premier?

ALCACER

Je crois que ce doit être quelque diable qui
s'agite en entendant parler de prière.

*Avant de se retirer, la double Veuve passe
le gras de son bras nu sous le nez d'Alcacer.*

LA DOUBLE VEUVE

Vous ne m'avez pas dit que j'avais de jolis bras.

ALCACER

Mais si, admirables... admirables...

*Alcacer ne baisant pas le bras, après un
moment elle l'abaisse, toujours avec la même
brusquerie, fait une fausse sortie et revient.*

LA DOUBLE VEUVE

Vous n'auriez pas un verre d'eau, cher Monsieur? C'est à cause de l'ardeur de mon tempérament. *(Alcacer, ahuri, fait signe que non.)* Alors, donnez-moi votre main, que je la morde!

ALCACER

Eh là!

LA DOUBLE VEUVE

Et prenez ma bouche, cher Monsieur. Vous y trouverez les sucs essentiels, sans parler de tous les vers célèbres de nos plus importantes tragédies.

ALCACER

Hélas! Madame la Veuve, j'ai fait un vœu sacré à ma fiancée, de ne baiser nulle autre bouche que la sienne. Me voulez-vous parjure?

LA DOUBLE VEUVE, *bas.*

Prends ma bouche, nigaud. Il ne s'agit que d'allumer sa jalousie. Il va bondir hors de sa cachette comme un jaguar. Parjure? Sacrifie ton petit amour, pour un amour qui est grand comme le monde! *(Elle tend sa bouche à Alcacer.)* Le vent a le murmure d'un silence qu'on entendrait... *(Impatientée.)* Oh! comme je suis littéraire!

Elle tend de nouveau sa bouche.

ALCACER

Cette fiancée n'existe pas. La réalité, la voici: vous ne savez pas l'affreuse maladie que j'ai rapportée des Indes. Un simple contact des lèvres et je vous communique le mal.

LA DOUBLE VEUVE, *bas.*

Alors, plonge ta main dans mon corsage. Fais vite, et me brûlant d'un œil d'enfer. Ah! peut-être qu'il va sortir en brandissant un poignard. Quelle ivresse de périr de sa main!

Alcacer effleure distraitement le corsage de la double Veuve, puis jette un coup d'œil par la fenêtre.

ALCACER

Il sort, Madame; je vous ai menti : il était là. Mais il s'éloigne par le jardin...

LA DOUBLE VEUVE

Il fuit vers les saules! Une fuite qui est un appel. Un appel! Les cartes me l'avaient bien dit. Laissez-moi le rejoindre. O mon Juan! Toi, tout. Moi, toute. Tienne à toi. Mon mien. Mon tout à moi. Toujours. Jamais. *(Saluant Alcacer.)* Infiniment, cher Monsieur. Infiniment. Infiniment.

Elle gagne vivement la porte et sort. Alcacer barricade la porte.

SCÈNE IV

DON JUAN, ALCACER.

ALCACER

Vous avez entendu : la police interroge les passants, le crieur public vous dénonce.

DON JUAN

Mais tout cela est inventé, mon ami. Elle invente cela pour se rendre indispensable. Elle veut me sauver, afin que je couche avec elle, puis, quand je n'aurai pas couché avec elle, me livrer et, en fin de compte, être au désespoir de m'avoir livré. Ainsi fonctionne la Veuve. Je la connais depuis vingt-six ans. Sacrée fillette!

ALCACER

Couchez avec elle, et vivez à ce prix.

DON JUAN

Plutôt la mort. — J'ai cru me trahir quand elle a dit qu'elle prierait pour moi : elle va me porter malheur. Et comme elle devenait laide quand elle prononçait les mots : « Mon mari! » Même une femme qu'on a en horreur devient plus horrible encore lorsqu'elle dit : « Mon mari ».

ALCACER

Une femme vous agace-t-elle trop, la posséder est le seul moyen de la rendre supportable. Que n'avez-vous entendu cette leçon?

DON JUAN, *écrasant le médaillon sous son pied.*

Si les femmes savaient ce qu'on fait de leurs portraits, quand elles vous les donnent sans qu'on les ait demandés! Partons. Je renonce au rendez-vous de ce soir.

ALCACER

Quoi! partir! Si vite maintenant! Cette femme vous a-t-elle à ce point retourné?

DON JUAN

Tu ne sais pas ce que c'est qu'une femme qui aime, et qu'on n'aime pas. Les autres ne m'ai-maient pas, et ce non-amour a arrangé bien des choses : c'est un des petits profits de la vieillesse. Mais celle-ci! Elle est un serpent, et un serpent méchant, car il y a des serpents doux. Filons. C'est déjà trop qu'elle me sache ici. Je ne regrette que la petite qui va m'attendre. Tu ne sais pas comme je me tourmente en pensant qu'elle va attendre pour rien.

ALCACER

Ne filons qu'à la nuit close. Et dînons; après le repas on ne croit plus au malheur.

DON JUAN

Oui, quelle pitié! *(Alcacer dispose le dîner sur la table.)* Un coq détraqué chante. Il annonce l'aube

quand la nuit tombe. Comme moi, vieux coq que
je suis, avec mes éternels cris de triomphe, alors
que moi aussi ma nuit tombe.

ALCACER

Vous n'êtes pas vieux; on n'est vieux que le
jour où l'on cesse de désirer.

DON JUAN

Il y a trop de personnes qui m'assurent que je
ne suis pas vieux. Je préfère le petit garçon du
boulanger. Il m'a demandé où j'allais. Je lui ai
répondu que j'allais voir une copine. Il m'a dit :
« Une copine de soixante ans? »

Le coq chante.

ALCACER

Je vais égorger ce coq; il m'exaspère.

DON JUAN

Non, non, laisse-le mourir à son heure. Pauvre
bestiole!

ALCACER

La mort d'un oiseau vous touche plus que la
vôtre.

DON JUAN

Ce que je suis mourra, non ce que je ne suis
pas. Ce que je ne suis pas, tous le carillonnent,
avec quelle outrecuidance! Don Basile, et tous, et
tous, les voilà, mes spectres, les spectres de ce
que je ne suis pas. Ce sont eux qui me persécutent
et m'écœurent, et qui me survivront. Ils vivront,
car ils sont le mensonge. Mais si je dois payer ma
vie au prix de toutes les sottises et de tous les

mensonges qu'on aura dits sur moi, peut-être
vaudrait-il mieux n'avoir pas vécu. Je vais chan-
ger d'habit et mettre mon beau costume. Il faut
être bien vêtu quand on va être arrêté.

ALCACER

Ne faites pas cela : c'est provoquer le destin.
En vérité, vous m'effrayez. Soudain vous voyez
tout en noir. Mais, dites-moi, souvent les hommes
se hâtent pour se rapprocher de leur perte. Si vous
restiez quelque temps à Séville? On vous cherchera
partout plutôt qu'ici. Quels amis sûrs peuvent vous
cacher? Martin Vasquez?

DON JUAN

Jadis, je lui ai demandé secours. Il me dirait :
« Je vous ai déjà sauvé la vie. Une fois suffit. »

ALCACER

Arcos?

DON JUAN

Il croirait que j'ai peur, et cela amuse nos amis,
que nous ayons peur. Il arrive qu'ils nous fassent
peur pour le plaisir. Cela les amuse aussi, que
nous risquions d'être tué.

ALCACER

Oviedo?

DON JUAN

Si vaniteux. Il répandrait partout qu'il a l'honneur de me cacher.

ALCACER

Menendez?

DON JUAN

C'est quelqu'un de tellement vil.

ALCACER

Ne vous occupez pas de la moralité des gens, s'ils
sont prêts à faire quelque chose pour vous.

DON JUAN

Si, je m'en occupe. C'est plus fort que moi.

ALCACER

Voyons... peut-être, le duc d'Osuna?

DON JUAN

Un intérieur trop ennuyeux. Plutôt périr déca-
pité, que d'ennui.

ALCACER

Les Mendoza?

DON JUAN

Des tourtereaux. Je les empoisonnerais. Je ne
veux pas déranger les jeunes.

ALCACER

Mais alors... « Mort aux jeunes »?

DON JUAN

Flûte!

ALCACER

Esquivel?

DON JUAN

Devenu un ennemi.

ALCACER

Amarillo?

DON JUAN

Devenu un ennemi.

ALCACER

Mientras?

DON JUAN

Plutôt! Il penserait : « Il n'a donc pas d'amis,
qu'il s'adresse à moi, qui n'en suis pas un pour lui. »
Sans oublier qu'il y a toujours chez ceux qui vous
offrent refuge une créature adorable que l'honneur
vous interdit de toucher.

ALCACER

Herrera, si amical?

DON JUAN

A toujours été un ennemi.

ALCACER

Ah! vous me désespérez. Si vos amis sont des
ennemis...

DON JUAN

Crois-en mon expérience : il est plus sûr, pour
être sauvé, de s'adresser à des inconnus qu'à des
amis.

ALCACER

Mais si devant tous vous êtes arrêté par des
objections d'amour-propre ou de délicatesse, alors
qu'il s'agit de votre vie...

DON JUAN

Et c'est pourtant ainsi que l'on meurt, mon
petit. Ma vie n'important guère aux gens, je m'en
voudrais de les ennuyer avec elle. D'autre part,
m'imagines-tu criant : « Au secours! »? Cela ne me
sortirait pas de la gorge.

ALCACER

Vous êtes déjà blessé à mort, si vous acceptez
ainsi de mourir.

DON JUAN

Quand on a eu une vie comme la mienne — cette
danse perpétuelle sur des pointes d'épées, — mourir est aussi la fin des risques et des appréhensions.
Le « hélas! » transformé en un « ouf! ». Et comment
ne pas songer à tout ce que mon corps a reçu et
créé de plaisir crevant au-dehors, lorsqu'il sera
dans la terre, en une étourdissante corbeille de
fleurs?

ALCACER

Laissez-vous convaincre. Faites le vœu que vous
irez en pèlerinage à Santiago, dans un an, si
vous avez la vie sauve.

DON JUAN, *joignant les mains, gravement.*

Mon Dieu, je fais le vœu d'aller à Santiago si
j'ai la vie sauve. Mais je ne fais pas le vœu de
croire en vous, ça, non.

A Alcacer.

Est-ce que cela va ainsi?

ALCACER

Croyez-vous vraiment que c'est là une prière?

DON JUAN

Je ne sais pas. Mais j'ai joint les mains. En tout cas, j'irai à Santiago. Maintenant le vœu en est fait.

ALCACER

Fait avec une réserve sacrilège.

DON JUAN

Oui, mais le vœu est fait, et j'irai à Santiago.

Un silence.

ALCACER

Dites-moi, pendant que j'y pense, la flotte qui appareille de Palos en juillet, sous le commandement de Ribeira, est-ce que ce ne serait pas un bon placement, pour les vingt millions? Mais ce sont des Génois qui financent. Il faudrait pouvoir toucher ces Génois...

DON JUAN

Sans doute, il faudrait pouvoir... Mon pauvre garçon, je vois que cet argent va te causer bien des soucis.

ALCACER, *accablé.*

Eh! que voulez-vous...

Regardant par la fenêtre.

Des chevaux, des cavaliers en armes... Une cape noire, quelqu'un de masqué : c'est sûrement un homme de police. Ah! grand Dieu! vous êtes découvert! Vite, cachez-vous!

DON JUAN, *calme, sans bouger.*

Donc, la mort. Bon. Je l'attendais depuis si longtemps.

ALCACER

Vous la cherchez, ne le niez plus! Vous la cherchez!

DON JUAN

Pas tout à fait. Mais...

ALCACER

Ils approchent. Je vous en conjure, fuyez par le jardin... là...

DON JUAN

Ouvre-leur.

ALCACER

Mon père! Au nom du Ciel!

DON JUAN

Ouvre. Je me suis déjà trop caché, pour ce que je suis.

Alcacer ouvre la porte.

SCÈNE V

DON JUAN, ANA DE ULLOA.

Ana de Ulloa entre, couverte de pied en cap par un vaste manteau noir, qui se rabat en capuchon sur sa tête. Elle porte un loup noir. D'un signe, elle ordonne à ses suivants de se retirer.

Don Juan reste d'abord immobile, puis fait lentement un pas vers elle, puis un autre, et, soulevant le bas du manteau d'Ana, il le baise.

Ensuite, d'une main tremblante, avec douceur, il fait tomber en arrière, dans le même mouvement, le masque et le capuchon. Ana se délivre de son manteau.

Alcacer se retire.

DON JUAN

Ana! Vous savez dans quelles circonstances cela s'est fait. Ce n'est pas moi qui ai voulu...

ANA

Je sais. Ma mère m'a dit. Vous êtes innocent. Vous êtes sans cesse innocent. Que n'y a-t-il en vous? Mais jamais il n'y a la haine, ni la jalousie, ni la mesquinerie, ni la rancune. Pourquoi avez-vous parlé? Vous vous êtes mis en danger de mort, vous avez tué mon père, vous m'avez jetée dans le désespoir, et tout cela pour un mot, un seul mot, qu'il était si facile de retenir!

DON JUAN

Antonio...

ANA

Le duc Antonio est un petit vaurien, tout le monde sait cela.

DON JUAN

Un petit vaurien qui cette fois n'était pas coupable.

ANA

Il faut fuir tout de suite. Comment êtes-vous encore ici?

DON JUAN

Toujours un peu de paresse quand il s'agit de fuir. Mais n'ayez crainte : je pars sur l'heure pour le Portugal.

ANA

Vous y avez des amis? des ressources? Je suis venue vous offrir... au cas où...

DON JUAN

Merci. J'ai tout ce qu'il faut. Vous êtes belle et généreuse.

ANA

Belle? Grâce à vous. Et généreuse? Non : j'ai besoin de votre vie. Mon cœur se dénouera quand votre sécurité y sera entrée.

DON JUAN

Il y avait dans le monde entier deux personnes, deux exactement, prêtes à faire quelque chose pour que je reste en vie, au lieu que je meure. Maintenant il y en a trois, je suis un homme comblé. Écoutez, je serai revenu dans six mois. Vous pouvez dans six mois être demeurée telle que vous êtes : aussi belle et aussi bonne. Mon frère est à la Cour. Il obtiendra ma grâce du Roi. Le Roi, Dieu merci, a ses œuvres de bienfaisance. Et moi, Dieu merci, j'ai beaucoup d'argent.

ANA

Mon deuil m'empêchera d'être mariée avant six mois. Mais fiancée peut-être...

DON JUAN

Nous supporterons le fiancé; j'en ai supporté bien d'autres. Tu reposais au fond de moi, j'étais venu à Séville pour te faire bouger.

La prenant dans ses bras.

O couverte de sueur comme une plante de rosée! C'est vrai, j'ai erré de visage en visage, mais enfin je m'étais arrêté sur le tien. Jamais ton visage ne me quittait. Le jour le passait à la nuit, la nuit le repassait au jour. Quand je mettais ma tête sur d'autres femmes, c'était toi que je sentais. O ma sûre petite fille, au milieu de tout ce qui n'est pas sûr! Toi qui ne m'abandonnais pas, et que je n'ai pas abandonnée!

La bouche sur son cou.

Laisse entrer dans moi tout ce que tu renfermes... C'est avec cela que je vivrai jusqu'à l'heure où nous ne serons plus qu'un. La force de mon attente créera ce que j'attends. Que ne puis-je dormir jusqu'à cette heure et ne m'éveiller qu'en toi! Comme je ferais de bon cœur le sacrifice de tous ces jours, moi qui en ai pourtant si peu à vivre!

ANA

Vous pâlissez? Vous êtes mal?

DON JUAN

Le bruit de mon sang me fait peur. Il bat de souvenirs et d'espoir.

ANA

Partez, voyez d'autres femmes, aimez-moi en elles. Vivez fidèle et infidèle, mais vivez, mon ami très cher.

DON JUAN

La fidélité n'est pas d'être attaché uniquement, mais, lorsqu'on retrouve, de résonner et que cette résonance fasse l'unisson avec celle d'autrefois. — Ne me regarde pas de si près! Ne me regarde pas! Si tout à coup tu allais cesser de m'aimer!

Il cache son visage dans ses mains. Ana écarte les mains de Don Juan et le baise au visage.

Pourquoi ce baiser? Je ne comprends pas.

ANA

Il n'y a rien à comprendre.

DON JUAN

Tu pleures?

ANA, *sanglotant.*

Non! non! je ne veux pas!

DON JUAN

Tu ne veux pas... quoi?

ANA

Que vous partiez. Cet exil... Vous allez y être en grande peine...

DON JUAN

J'entendrai ta voix dans mes rêves et elle me guérira.

ANA

Et si vous ne partiez pas...

DON JUAN

Il le faut, n'es-tu pas venue pour me le dire? Venue! Toi, ici! Venue pour m'aider à fuir, quand tu devrais venir pour m'accuser!

ANA

Je ne suis pas de la race qui accuse.

DON JUAN

Je voudrais que tu saches que cette mort de ton père...

ANA

Mon père... moi aussi, quand je prenais le risque qu'il apprît nos rencontres, moi aussi, j'acceptais de le tuer. Et puis, ne me parlez plus de mon père. C'est assez de penser à lui quand je ne suis pas avec vous. Mais, quand je suis dans vos bras, mon malheur coule sur mon amour comme l'eau coule sur la pierre, sans l'entamer. Il y a vous. Mon deuil, mon malheur, mon père, mon avenir, tout cela,

c'est le reste. Et, ici, ce reste est oublié. Mon père
est-il mort, et par qui? Je ne sais rien de tout cela.

DON JUAN

Que puis-je dire? Je ne puis que me taire, et
t'aimer.

ANA

C'est vous qui m'avez rendue femme. Cela est
beaucoup plus que m'avoir mise au monde. C'est
vous qui m'avez mise au monde. Mon père, en le
faisant, le faisait pour ma mère et pour lui. Vous,
vous l'avez fait pour moi.

DON JUAN

Ana, suis-je digne de tes paroles? Pour une fois,
un doute me vient. Pour une fois, je me demande :
« Ai-je eu raison de vivre comme j'ai vécu? »

ANA

Vous avez vécu comme Dieu vous a fait.

DON JUAN

Je ne sais, ou plutôt je sais trop le sentiment qui
t'inspire. Il me remplit de confusion et presque de
remords. Désormais, j'ai à te mériter. Je te méri-
terai! J'en fais le serment sur cette croix.

*Il baise la petite croix qu'elle porte au cou,
puis il baise ses paupières.*

Que je boive sur tes yeux clos les larmes versées
pour ton père et les larmes versées pour moi. Ton
visage en sueur, et tes bras toujours plus frais que
la journée... Petites narines, petits cils, petites
choses plus petites que tout ce qu'il y a de petit
au monde, je défie avec votre aide les puissances

ennemies qui me guettent le long de ma route. Je
défie la nuit et les embûches de la nuit. Je défie
le torrent et chacune des gouttes du torrent. Je
défie les bêtes à ailes, les marchantes et les ram-
pantes. Je les défie par tes narines et par tes cils.
Je les défie par tes seins et le duvet entre tes
seins. Je reviendrai, je serai libre, et la félicité
nous couvrira comme une vague. Adieu.

> *Ana sort. Alcacer barricade de nouveau la
> porte.*

SCÈNE VI

DON JUAN, ALCACER.

DON JUAN

Par tes narines et par tes cils, par ta main si
fraîche et qui me brûle...

A Alcacer.

Laisse la porte ouverte, que rien ne me sépare
de cette enfant céleste, de cette habitude qui m'est
plus chère que tout l'inconnu pourtant adoré...
Une fois de plus, Dieu m'a protégé dans ma guerre!
Dieu m'a protégé! C'est lui qui l'a conduite vers
moi sur un char de feu.

ALCACER

Mon père! mon père! Je voudrais savoir enfin
quel homme vous êtes...

DON JUAN

O respiration de sa peau! odeur de sa saison!
Fille chérie, fille bénie, toi grâce à qui je ne meurs
pas, et ne mourrai jamais!

ALCACER

J'allais vous croire sincère avec le Commandeur — votre prétendue souffrance… — et vous ne l'étiez pas. Étiez-vous sincère avec Ana de Ulloa?

DON JUAN

Si j'étais sincère! Que ma langue pourrisse dans ma bouche si j'ai menti seulement une fois! N'as-tu pas vu mes traits? N'as-tu pas remarqué l'altération de ma voix? Es-tu imbécile? Ce sont toujours les imbéciles qui pensent que l'on n'est pas sincère.

ALCACER

Vous ne croyez pas en Dieu, et vous l'invoquez à chaque instant.

DON JUAN

Il y a en moi une exaltation et une passion qui ont besoin du recours à Dieu, même si je ne crois pas en Dieu. — Je lui enverrai du Portugal une petite croix. Elle la portera avec la sienne. Elles seront couchées l'une sur l'autre.

ALCACER

Quel langage n'avez-vous pas tenu à l'enfant céleste!… Et pourtant vous me le disiez avant-hier : « Il y a cent mille Ana de Ulloa. »

DON JUAN

Je disais cela parce que j'attendais Linda.

ALCACER

Vous m'avez dit que vous ne vous rappeliez même plus son visage.

DON JUAN

Oui, mais ce visage oublié me poursuivait de son néant. C'est un des mystères de la passion.

ALCACER

Tout le temps que vous lui parliez, il me semblait vous entendre murmurer *in petto :* « Ne crois pas que c'est toi qui m'enivres. C'est moi-même. »

DON JUAN

Mettons que c'est elle et moi qui m'enivrent.

ALCACER

Elle n'est pas bavarde.

DON JUAN

Elle est causante, mais elle n'est pas bavarde. Elle est bavarde quand il fait du soleil.

ALCACER

Et puis, vous avez tué son père.

DON JUAN

C'est vrai, je n'y pensais plus, j'ai tué son père.

ALCACER

Vous faire des bises comme cela, quand vous avez tué son père!

DON JUAN

Oui, n'est-ce pas? c'est déconcertant. Mais il faut prendre l'amour pour ce qu'il est, je veux dire comme il est.

ALCACER

En somme, désormais, c'est vous qui lui tenez lieu de père.

DON JUAN

De père... Disons : de grand-père. *(Avec enivre-*

ment.) Être à la fois le grand-père et l'amant,
quel programme pour une fin de vie!

ALCACER, *riant.*

J'ai admiré aussi votre sagesse! Était-ce parce
que je n'étais pas loin?

DON JUAN

Je l'aime assez pour ne la respecter pas, et assez
pour la respecter.

ALCACER

Mais nous sommes là à causer. Expédions la
dînette et partons, voilà ce qui importe.

DON JUAN

Pour revenir dans six mois, et être encore
l'amant d'Ana. Mon frère obtiendra ma grâce.

ALCACER

Vous m'avez dit il y a un instant : « Plutôt
mourir qu'obtenir sa grâce de ce qu'on méprise. »

DON JUAN

Tout est changé. Il s'agit maintenant de retrouver Ana de Ulloa.

ALCACER

Vous me disiez avant-hier : « L'homme est fait
pour abandonner. »

DON JUAN

L'homme est fait pour faire ce qui lui chante.

ALCACER

Mon père! mon père! si on vous entendait, que penserait-on de vous?

DON JUAN

On penserait que je suis un homme. Un homme dit ce qui lui passe par la tête.

Souvent homme varie.
Bien fol est qui s'y fie.

Et la femme qui l'occupe l'occupe toujours tout entier. — Je n'ai pas osé lui dire ce qui me brûlait les lèvres : « Je serai exact au rendez-vous de ce bonheur, car bientôt je vais cesser d'être. » L'atroce de n'exister plus dans peu de temps ne peut être adouci que par des joies intenses, et je suis capable de tout pour les obtenir. Je deviendrais fou si quelque chose devait m'échapper, avant que tout m'échappe.

ALCACER

Mais tantôt vous faisiez bon marché de votre vie!

DON JUAN

Tout est changé. Je veux vivre six mois, dix mois, le temps de jouir encore de cette femme et de la rendre heureuse encore. Elle m'a gorgé d'espoir comme une éponge est gorgée d'eau.

ALCACER

Votre impatience est celle d'un démon.

DON JUAN

Mais non, depuis toujours, c'est ma patience qui est diabolique. — Je veux que la dernière fois

de ma vie que je le ferai, je le fasse en elle. En
elle ma dernière goutte de force, et qu'ensuite je
m'écrase desséché. — Allez, partons, laissons ce
repas. Nous avons perdu déjà trop de temps.

UNE VOIX, *sépulcrale.*

Halte-là! Ne m'avais-tu pas invité?

SCÈNE VII

La statue du Commandeur entre dans la pièce par la porte ouverte sur le dehors, paraissant soulevée au-dessus du sol, et phosphorescente dans l'obscurité. Le Commandeur, en armure, est assis, dans la position qu'il a décrite. La statue s'arrête au bord de la table.

LA STATUE

Don Juan, je viens dîner avec toi, comme nous en sommes convenus.

DON JUAN

Qu'est-ce que cette singerie?

LA STATUE

Mais tu sais ce que je t'ai dit : pas de petits pois!

DON JUAN

Alors tu sors de ta tombe exprès pour m'embêter? Même si tu es un spectre, ne pense pas que tu me fasses croire en Dieu. Les morts reviennent

peut-être, mais cela ne prouve pas Dieu. Allons,
descends et mange, puisque je t'ai convié. Et
tâche de manger proprement, malgré ta tradition
de famille.

LA STATUE

N'as-tu pas peur de moi? Sache que, si tu me
touchais, je t'empoignerais et t'emporterais en
enfer.

DON JUAN

Tu me donnes envie de te toucher, pour voir.

LA STATUE

Garde-t'en bien. Ma riposte serait terrible.

DON JUAN

Les hommes, d'aventure, me font peur, mais
jamais les spectres. Ni les spectres, ni les diables,
ni Dieu. Et cela me taquine diantrement de t'em-
brocher une seconde fois, — pour voir.

> *Il dégaine.*
> *La tête de la statue tombe, et à sa place
> émerge la tête du Carnavalier-chef.*

LE CARNAVALIER-CHEF

Non! non! Seigneur, pas cela! C'était une plaisanterie.

> *Les deux autres carnavaliers émergent de
> sous la statue, qu'ils faisaient avancer à la
> manière dont les* portadores *font avancer les
> pasos de la semaine sainte à Séville.*

DON JUAN

Ah! ah! je savais bien qu'il n'y a pas de spectres.

Il n'y a pas de fantastique : c'est la réalité qui est le fantastique. Que fais-tu là, coquin?

LE CARNAVALIER-CHEF

Une plaisanterie! Une simple plaisanterie!

LE DEUXIÈME CARNAVALIER

C'est nous qui construisons les chars du carnaval. Nous avons entendu votre conversation d'hier avec le Commandeur. Et puis, nous avons vu que vous ne partiez pas...

LE TROISIÈME CARNAVALIER

Nous avons vite construit la statue. Nous pensions vous mettre en fuite et faire main basse sur quelque chose d'ici...

DON JUAN, *à Alcacer*.

Bâtonne-les et détruisons ce carton-pâte. Que ne pouvons-nous détruire aussi facilement le carton-pâte de Dieu et de toutes les impostures, les divines et les humaines! Et maintenant, au galop! allons chasser la femme à Séville!

ALCACER

A Séville? Vous êtes fou! Et notre départ? Ce soir vous serez arrêté.

DON JUAN

Le faux spectre m'a redonné courage : tous mes spectres s'évanouissent avec lui. La fille de ton rendez-vous nous attend. Elle et bien d'autres. Il y a encore deux jours avant la Fête des Mères. Deux jours! Qu'ils soient à moi!

ALCACER, *avec une sorte d'horreur.*

Sac au dos! ou plutôt sac aux reins! Et tirant la langue comme les diables, tirant la langue comme les chiens...

DON JUAN

Comprends-moi! mon fils, comprends-moi! Si je n'accroche pas une femme nouvelle aujourd'hui, une demain, une chaque jour, c'est ma vie de séducteur tout entière qui s'évanouira comme un mirage. J'ai besoin d'avoir été, et j'ai besoin d'être. En chasse! en chasse! Je ne peux pas faire autrement.

ALCACER, *le retenant.*

Mon père! Vous êtes fou! Vous faites des actes de fou!

DON JUAN

Ne me retiens pas! Laisse-moi mon abîme! Je ne peux pas attendre une minute de plus. Ma bouche s'en sèche.

ALCACER

Mais nous allons rejoindre Ana de Ulloa sur la route! Elle vous verra rentrer à Séville, quand vous venez de lui dire que vous partiez pour le Portugal?

DON JUAN

Ne t'inquiète pas. Je connais un chemin détourné...

ALCACER

Vous allez être reconnu tout de suite!

DON JUAN

Je mets mon masque.

Il abaisse son masque, mais celui-ci n'est plus le masque du premier acte. Il représente maintenant une tête de mort.

ALCACER, *jetant un cri.*

Qu'est-ce cela? Qu'est-ce ce masque?

DON JUAN

Eh bien quoi! c'est mon masque de tous les jours.

ALCACER

Retirez cela vite!

DON JUAN, *essayant de retirer le masque.*

Mais je ne peux pas le retirer, que se passe-t-il? Il s'est incrusté dans mon visage, il s'est mélangé à ma chair... Essaie de me le retirer.

ALCACER, *tremblant.*

Je ne toucherai pas à ce masque.

DON JUAN

Pourquoi?

ALCACER

Il y a dessus une tête de mort.

DON JUAN

Une tête de mort? A la bonne heure! En avant! Au galop pour Séville!

Il sort vivement, entraînant par la taille Alcacer qui titube.

FIN

NOTES

Certaines œuvres, on ne voit ce qu'on a voulu y faire qu'avec du recul. C'est ce qui m'est arrivé avec *Don Juan*.

La pièce fut écrite en mai 1956, cinq mois après *Brocéliande*. C'est seulement en la relisant, en novembre 1956, que je vis que je l'avais écrite en réaction contre l'abondante littérature qui a voulu faire de Don Juan un personnage chargé de sens profond : un être démoniaque, ou un Faust, ou un Hamlet, — un « mythe »... Me moquant des « Penseurs-qui-ont-des-idées-sur-Don Juan », je n'ai pas eu en vue les vrais clercs, mais les faux (souvent étrangers). Mon « philosophe » est inspiré de l'Allemand Ranke, auteur d'un absurde *Don Juan et le double;* la recherche de l'Absolu, que mon « docteur » prête à Don Juan, est une conception du romantisme allemand, etc. J'ai débarrassé mon héros de ce qu'avait fait de lui le xixe siècle. Don Juan, dans ma pièce, est un personnage simple; il n'a *pas d'envergure :* je l'ai voulu ainsi. Il court après toutes les femmes. Il ne leur souhaite pas de mal, au contraire; il n'est pas méchant, il est même « sensible », comme on disait au xviiie siècle. Il a une grande générosité puisque de nombreux malheurs lui arrivent par le seul fait de s'être avoué le séducteur d'Ana de Ulloa pour innocenter un homme qui était accusé faussement de l'être.

Il trouve horrible de mourir, parce que cela va arrêter ses joies, mais, courageux, il risque sa vie de son plein gré, ensuite ne cherche pas ou guère à la sauver, et refuse presque la grâce du roi, jusqu'au moment où, se montant la tête sur Ana, ce montage de tête le retourne, et il envisage alors une intervention de son frère auprès du roi.

Le trait essentiel de son tempérament, c'est la mobilité.

Mobilité du caractère. Il dit : « L'homme est fait pour abandonner. » Il n'a pas encore « eu » Linda, qu'il a déjà envie de la tromper. Au troisième acte, cela est plus saisissant encore. En quelques minutes, il y change de disposition trois fois (1° Ana lui était indifférente et brusquement elle l'exalte. 2° Il acceptait de mourir et il n'accepte plus de mourir. 3° Ana lui redevient indifférente). De tout cela, non seulement il est conscient, mais il se glorifie, car il est naturel : « Un homme dit ce qui lui passe par la tête. Souvent homme varie, bien fol est qui s'y fie. »

A cette mobilité du caractère correspond la vivacité dans l'élocution, puisque l'élocution est adaptée au mouvement de l'âme. Ce qu'il dit n'est jamais pesé, fignolé, appuyé, *pensé : cela est jailli.* Ses paroles tendres à Ana proviennent d'une exaltation; elles sont sincères, mais de la sincérité d'une minute. Il en est tout de même lorsqu'il parle de Dieu. Il ne croit pas en Dieu, il le blasphème à l'occasion, mais il reconnaît : « Il y a en moi une exaltation et une passion qui ont besoin du recours à Dieu, même si je ne crois pas en Dieu. » Son amour de Dieu (parce qu'Ana croit en Dieu) dure le temps d'une scène, comme son amour d'Ana a duré le temps d'une scène.

Chez lui, un *ondoiement* perpétuel, moral et physique.

A cette mobilité de Don Juan devrait correspondre une pareille mobilité du public. Sinon, celui-ci ne « suivra » pas. C'est une pièce pour esprits déliés.

Mon Don Juan est un Méridional. Ce n'est pas un sévère Castillan, tout d'une pièce; c'est un Sévillan.

blagueur et brûlé (dès la deuxième phrase de sa première réplique, il blague à froid), « pas sérieux » et
tragique, en qui se succèdent, apparaissant et dispa-
raissant avec la même rapidité, les visions obsession-
nelles du plaisir et de ce qui l'entoure (la chasse, l'in-
trigue) et de la mort : tensions et détentes alternées
et instantanées. En d'autres termes, c'est un homme
léger, et qui ne devient profond que lorsqu'il a devant
les yeux la vision de la mort, ou la vision du plaisir
sous l'éclairage de la mort. Je le vois grand, sec,
avec de beaux yeux noirs de braise, vif, faisant des
gestes, reflétant sur son visage usé toutes ces visions
contradictoires qui passent rapidement en lui. Pas la
moindre vulgarité (polissonnerie n'est pas du tout
vulgarité; c'est la pruderie qui est vulgarité); au
contraire, un homme d'esprit, se moquant toujours
un peu de lui-même, comme font les gens d'esprit, et
un homme racé, — un homme racé « un peu vaurien »,
à la méridionale. Avec de la *grâce*.

Je répète que ce que je viens de décrire est typiquement sévillan. Le mot « Séville » est d'abord synonyme
de gaîté. La *sevillana* est une danse toute d'allégresse.
Mais le *cuadro flamenco* sévillan n'est inspiré que par
la douleur et la mort. Ce mélange du léger et du poi-
gnant, c'est Séville, et c'est Don Juan, Sévillan.

S'il n'était que *naturel* et *mobile*, sans son pathétique, il se rapprocherait de mon Malatesta, et du
caractère italien. Séville est, de toute l'Espagne — et,
encore une fois, mis à part son pathétique —, la région
où l'on se rapproche le plus, pour le caractère, de
l'Italien. C'est pourquoi j'appelle le premier acte, où
ce pathétique n'apparaît pas, un acte « à l'italienne ».

S'il gagne en « historicité », le Don Juan de cette
pièce gagne aussi en modernité. La biologie et la psy-
chologie modernes s'entendent pour faire coïncider
l'idée du désir, de la possession amoureuse, avec l'idée
de la mort. D'autre part, les Don Juan de jadis étaient
des « damnés »; celui-ci est un obsédé; en cela encore

bien moderne. Ce Don Juan, comme les autres personnages de mon théâtre, est aussi un personnage tragique. Tragique, il l'est par sa crainte de la mort prochaine. Il l'est parce qu'il a besoin de la « chasse » et de la possession pour se sentir vivre : la chasse et la possession sont pour lui une drogue. De là le caractère fatal de cette chasse, et ses dernières répliques, quand il part chasser à Séville, où il a toute chance d'être arrêté, ont un caractère presque démentiel qui l'apparente aux héros légendaires obligés par le destin d'aller sans cesse de l'avant : le Juif errant, Io dans la tragédie d'Eschyle... Son obsession contribue à déterminer non seulement son essence, mais sa destinée.

Et la quasi totale indifférence d'Ana à la mort de son père; et Alcacer si occupé de comment placer ses millions, quand la tête du sien est en jeu; et les remarques de Don Juan sur les « amis » qui pourraient lui sauver la vie : est-ce que tout cela aussi n'est pas tragique?

Le premier acte est léger : le personnage s'y affirme peu, reste fidèle à ses devanciers; c'est l'acte « à l'italienne ». Le second acte approfondit son caractère : c'est l'acte « psychologique ». Au troisième acte, le drame est entré et sourd de toutes parts : c'est l'acte « pathétique ». Ainsi, d'acte en acte, la pièce prend plus de poids. Cela aussi, je ne m'en suis aperçu qu'après l'avoir terminée. Rien de volontaire. Cela a été fait d'instinct en écrivant.

Il me semble que la particularité « donjuanesque » de mon Don Juan tient dans la réplique où il dit qu'avec les femmes il « cumule le changement et la durée ». Les auteurs dépeignent Don Juan comme un infidèle essentiellement. Le mien est ensemble fidèle et infidèle. Il ne renonce à rien.

Quelqu'un me dit : « C'est une farce. » Quelqu'un :
« C'est une pièce âpre. » C'est une pièce âpre et une
farce.

Souvent dans la même réplique alternent la gravité,
voire le pathétique, et la bouffonnerie, le sérieux et la
boutade. De là la difficulté de la jouer, et, plus encore,
de la faire accepter du public français, particulièrement ancré dans le dogme des « genres tranchés ».
Et cependant ce parti est loin d'être une nouveauté.
La conception de Don Juan a été de Méphistophélès
à Polichinelle, en passant par Faust. Cicognini introduit le bouffon dans la pièce de Tirso. Le Don Juan
de Mozart est tour à tour comique et sentimental.
Quant à la résistance que rencontrerait de ce fait
mon personnage dans le public, la vaincre serait une
affaire d'explication. Une publicité à grande échelle
a imposé au cinéma le personnage de Charlot, dont
les intentions sont de faire rire et de toucher alterna-
tivement, et a mis dans la tête du public que c'était
cela qu'il fallait admirer. Et, sans doute, on ne peut
rêver pareille publicité pour une œuvre littéraire, du
moins pour une des miennes...

Il n'y a pas, ou il n'y a que rarement, d'unité de
style dans la vie. L'œuvre où il y a unité de style est
plutôt une construction de l'esprit.

Dans le manuscrit de cette pièce, Don Juan occupe
la scène pendant 96 pages, sur 115 : c'est beaucoup,
c'est trop. Mais, dans la petite édition populaire
Larousse de la pièce de Molière, le héros est en scène
59 pages, sur 67 : cela se vaut.

Quelqu'un me fait remarquer que, tandis qu'Alcacer, au moment où son père risque sa tête, songe à la
façon de placer son argent, Ana vient offrir le sien.
On veut voir là une idéalisation de la femme ana-

logue à celle qui est faite dans *La Reine morte, Mala-testa, Le Maître de Santiago.* Ma foi, je n'y avais pas pensé.

Il y a une tendance aujourd'hui chez les clercs à penser qu'un Don Juan contemporain est un personnage sans intérêt, parce que « Dieu est mort », et parce que la morale elle aussi est un mythe périmé : il n'y aurait plus de « défi ». C'est là une vue de l'esprit. Ces clercs ne se sont jamais mis dans la peau d'un Don Juan 1958, qui doit lutter contre les mâles (lesquels s'arrogent toujours un droit, de quelque nature soit-il, sur les femmes), contre les tribunaux (si la morale est un mythe périmé, il ne l'est pas toujours dans les prétoires) et contre lui-même (je songe à ce galant Parisien de qui les journaux racontaient que, pour échapper à la situation inextricable où l'avait mis le trop grand nombre de ses maîtresses, il n'avait trouvé que le suicide). N'en déplaise aux clercs, Don Juan 1958 garde l'intérêt qui s'attache au gangster, au torero, au combattant, au partisan révolutionnaire : l'intérêt qu'a tout homme qui sans cesse risque le pire, et qui a choisi cela. Que les clercs rajustent leurs besicles : le « défi » continue.

D'un correspondant : « Vous avez voulu ou cru faire un Don Juan matérialiste. On le dirait jusqu'aux avant-dernières répliques. '' Il n'y a pas de fantastique, c'est la réalité qui est le fantastique. '' '' Que ne pouvons-nous détruire aussi facilement le carton-pâte de Dieu et de toutes les impostures, les divines et les humaines! '' Mais voici que le masque de la mort, s'enfonçant dans la chair de Don Juan, lui donne un démenti terrible. Ce n'est pas Dieu qui rentre, mais c'est tout de même le surnaturel... Force de la tradition littéraire? Simple effet de théâtre? Affirmation que Don Juan a été présomptueux, que vous prenez position contre lui? Certains trouveront que votre fin rend plus forte la pièce, d'autres, qu'elle l'affaiblit. »

L. me dit : « C'est une pièce psychologique et une pièce burlesque, mais ç'a été plus fort que vous : vous n'avez pu vous empêcher d'y mettre de la générosité. »

Moi : « C'est aussi le cas de *Brocéliande*. »

L. : « Tout tourne autour d'un pivot héroïque. Don Juan se sacrifie comme Sevrais et comme Mariana. »

« C'étaient ses passions qui le jetaient hors de cette terre, mais c'était à elles encore qu'il s'adressait pour qu'elles l'y retinssent. C'était d'elles, et d'elles seules, qu'il voulait recevoir tout le bien et tout le mal » (*Les Lépreuses*, p. 197).

L'eau-forte de Goya intitulée *Hasta la muerte* (« Jusqu'à la mort ») représente une horrible vieille qui se farde. L'image sur laquelle tombe le rideau de *Don Juan* nous mène encore un peu plus loin : c'est la Mort qui va faire le trottoir. On pouvait le faire dire en réplique finale par Alcacer, ou même le donner pour sous-titre à la pièce : «*Don Juan* ou *La Mort qui fait le trottoir.* » J'ai jugé que ce serait insister.

Il a horreur de sa mort; il est obsédé par cette horreur. Mais, quand elle est devant lui, il la traite avec courage, avec nonchalance.

Cet amoral est tellement homme d'honneur qu'il veut tenir les promesses qu'il a faites à un « être » (Dieu) dont il est convaincu de l'inexistence.

Je mets parmi ses tragédies celle de n'avoir pas de mémoire. Tous ses bonheurs réduits à l'immédiat. Une immense partie de sa vie, perdue.

La nuit avant qu'il trépasse, Saint Louis soupire et dit à voix basse : « O Jérusalem! ô Jérusalem! » Napoléon prononce les mots : « Tête... corps d'armée... », Gœthe et Tolstoï agonisants tracent des mots, l'un en l'air, l'autre sur son édredon, — et des témoins ont remarqué qu'ils « mettaient la ponctuation ». Tous meurent dans ce qu'ils ont été, magnifiquement.

Don Juan (le mien) veut mourir dans ce qu'il est.

Don Juan fut créé le 4 novembre 1958. Le soir de la générale, quand le nom de l'auteur fut annoncé devant le public, aux applaudissements se mêlèrent des huées. Le lendemain, c'est le nom du metteur en scène qui fut hué.

La presse n'avait été invitée qu'à la dixième représentation. Aux neuf premières représentations, il y eut salle comble. Le lendemain du jour où avaient paru les articles de la critique, les recettes baissaient de moitié et elles ne cessèrent de baisser, à tel point que la pièce fut retirée après la trentième représentation.

L'accueil fait à *Don Juan* ne m'étonna guère, puisque dans le programme j'avais cité la phrase d'André Suarès : « Le public n'aime pas être surpris, et il rend insulte pour surprise. » Et puisque, dans les notes parues quelques jours plus tôt dans *Les Nouvelles littéraires*, je parlais non seulement de la difficulté de jouer cette pièce, mais « plus encore, de la difficulté de la faire accepter du public français, particulièrement ancré dans le dogme des genres tranchés », ce pourquoi, ajoutais-je dans une interview donnée à *Carrefour*, également avant la première, « ce mélange des genres est depuis longtemps abandonné par les auteurs, et on le reproche même aux tabous : Shakespeare... » Dès ma première rencontre avec mon metteur en scène et mon principal interprète, un an avant la création, je les avais mis en garde contre l'accueil qui serait fait à cette pièce, dont j'étais certain, et je revins là-dessus pendant un an. Mais eux, ces hommes de théâtre éprouvés, ils ne voulaient pas me croire!

Les causes de l'échec furent :

— une indéniable cabale;

— les conditions de la représentation. Je n'insiste pas...;

— le mélange des genres;

— la crudité de la pièce, crue en ce sens seulement qu'elle met à nu beaucoup de vérités. Ne peut pas être dit sur la scène ce qui peut être dit dans un essai (qui n'est lu par personne) ou dans un roman. Les deux pièces où j'ai été assez loin dans l'expression de la vérité, *Pasiphaé* et *Don Juan*, n'ont pas été supportées par le public.

1958.

Je viens de relire *Don Juan*, que je n'avais pas relu depuis sa création.

Cette pièce qui passa pour grossière ne peut être comprise que par des esprits très déliés et très cultivés : c'est dire que son avenir est sombre. Mais, s'il existait une postérité tout idéale, où les œuvres d'art fussent jugées selon leur mérite, *Don Juan* y occuperait la première place de mes œuvres de Théâtre, à côté de *Fils de personne*, du *Maître de Santiago*, de *La Ville* et du *Cardinal d'Espagne*.

1965.

RÉPLIQUES SUPPRIMÉES

ALCACER : Le monde vous sera rendu, quand vous aurez la paix.

DON JUAN : Le monde m'est rendu quand on me rend ma guerre. Tu sais laquelle.

DON JUAN, *quand il est traqué :* Voici les arbres et voici l'ombre et voici l'air qui ne veulent pas me tuer.

DON JUAN, *à Alcacer :* Chaque année de pire en pire, jusqu'à la fin. L'an prochain, cette année-ci me paraîtra un paradis. Quelquefois je me demande : est-ce moi, est-ce vraiment moi qui suis le lieu de ce drame? Ce drame me paraît tellement effrayant qu'il m'arrive de douter si c'est moi qui le contiens et le supporte.

DON JUAN : Quand je vois une femme qui m'aime de façon désintéressée, j'en ressens un malaise. C'est un des avantages de la vieillesse : on n'est plus aimé que pour son argent. Finie la sentimentalité. Ouf!

DON JUAN : Content quand elles s'accrochent, content quand elles me lâchent. Quelle heureuse nature!

CRITIQUES ET RÉPONSES

Critique. — Votre héros est incapable de passions et c'est pourquoi en un sens il est si peu tragique.

Réponse. — Il a une passion — la chasse sensuelle,

qui va jusqu'au comble de la passion : la manie
— et c'est en partie ce qui le rend tragique.

Quant à son absence d'amour-passion pour les
femmes, elle est la caractéristique du type de Don
Juan.

Un autre de ses tragiques : celui du jouisseur qui
par sa mort prochaine va cesser d'être. Certains
disent qu'un tel cas — en soi — n'est pas digne d'intérêt. Et le vieillard, au théâtre, est toujours montré
grotesque, ou odieux, ou (dans le théâtre classique
et romantique) « noble »; mais il n'est jamais montré
émouvant. Pour moi, quand j'avais trente-cinq ans,
j'ai écrit avec amitié de la vieillesse, dans *Mors et
Vita*. Dans *Les Jeunes Filles*, j'ai répété que le cas
des « vieilles filles » me touchait, même lorsqu'elles
étaient ridicules. Plus tard encore, dans *Celles qu'on
prend dans ses bras*, j'ai peint un homme de cinquante-
huit ans amoureux, et je ne le trouvais pas ridicule;
et Mlle Andriot, dans la même pièce, qui a soixante
ans, qui est à demi folle et qui est amoureuse, me
paraît pathétique. Chaque âge a droit à son respect
particulier. Et, si je tire mon chapeau à l'homme
naturellement ou volontairement serein devant sa
mort, je tire aussi mon chapeau à celui qui en tremble
un peu, et même est assez brave ou assez dédaigneux
pour ne pas le cacher.

C. — Don Juan emploie le langage mystique pour
parler de l'acte de chair. Donc, vous reniez *Santiago*
et *Port-Royal!*...

R. — Je fais parler à Don Juan le langage de
Don Juan, qui, étant Andalou, saupoudre son langage de catholicisme.

C. — Cynisme et grossièretés de votre Don Juan.

R. — Comment un Don Juan ne serait-il pas un
peu cynique? Encore le mien ne l'est-il que de temps
en temps. Et que pourrait donc dire un Don Juan
« valable », d'autre que ce que je lui fais dire? Si un
Don Juan de théâtre ne peut pas penser, agir et
parler comme le fait le mien, il vaut mieux signifier
carrément, par quelque loi, décret ou édit, qu'il est

interdit de porter le personnage de Don Juan à la scène.

La seule originalité de mon Don Juan est, tout au contraire, d'être un homme bien plus « moral » que ses devanciers. Je ne veux pas parler de sa morale de l'honneur, que possèdent la plupart de ses devanciers, mais des vertus qui sont autre chose que le sentiment de l'honneur, telles que la générosité et la charité. Toute la pièce tourne autour d'un acte de générosité de sa part, puisqu'il risque sa tête pour s'être dénoncé à la place d'un innocent; et c'est par charité, il le dit expressément, qu'il veut faire croire au Commandeur qu'il est malheureux, parce que le Commandeur n'est pas heureux dans sa vie de ménage. Enfin, avec les femmes, il a un côté « bon type » tout à fait nouveau dans le caractère classique du personnage. Le Don Juan classique déteste les femmes, aime les faire souffrir, se venge d'on ne sait quoi sur elles. Celui-ci leur veut du bien, est « gentil » et secourable avec elles, va jusqu'à se faire une loi de ne jamais promettre aux filles le mariage (alors que cette promesse est un des leurres les plus faciles et les plus médiocres du séducteur professionnel), s'efforce de ne pas leur mentir, déteste de les faire seulement attendre, etc.

Bien entendu, à côté de cela, il est immoral et crée l'immoralité autour de lui par le seul fait d'avoir une conduite de Don Juan. Mais, ce que je répète, c'est qu'entre sa conduite dans le domaine sexuel et sa conduite hors de ce domaine il y a une cloison étanche : la première est malhonnête et la seconde est honnête. Un moraliste du XVIIIe siècle, Duclos, a écrit que cette cloison étanche était une particularité du caractère français. Est-ce exact? Je ne sais. Mais le fait est que nous la rencontrons communément; elle est, en tout cas, une des caractéristiques de mon Don Juan. Quant à ses grossièretés, on voit que le public français ne connaît pas l'Espagne. Le peuple qui a donné les plus hautes élancées de spiritualité (l'Espagne), et le peuple qui a donné dans la philosophie et dans les arts plastiques les monuments les plus importants de l'idéalisme (les anciens Grecs) ont tous les deux pratiqué en parole une obscénité scatologique. Sur ce chapitre-là, mon Don Juan est un enfant de chœur.

C. — Solitude lamentable de votre Don Juan... (la vôtre, étant donné que vous êtes un pauvre type).

R. — Oui, il est calomnié par Don Basile, incompris par le Commandeur, travesti par les trois doctes; il a si peu confiance en ses amis qu'il ne veut se réfugier chez aucun d'eux, ni chez la double Veuve, qui est censée l'aimer. Mais il n'est pas seul puisqu'il est « complice » avec son fils : « Toi qui sais tout de moi, et que je ne crains pas. » Pour n'être plus seul, il suffit d'être deux. Il y a aussi Ana, « ma sûre petite fille, au milieu de tout ce qui n'est pas sûr », mais là il est dans une *andaluzada* (l' « andalousade » : majoration verbale quand on a un coup de soleil).

Don Juan aime Alcacer plus sérieusement qu'il n'aime Ana. Cependant, au moment où Don Juan risque sa tête, Alcacer songe surtout à la meilleure façon de placer l'argent que son père vient de lui donner, tandis qu'Ana offre le sien à Don Juan, pour l'aider à fuir au Portugal. Mais rien à faire : Don Juan, en bon Latin, ne croit pas beaucoup aux femmes.

C. — Ce mélange de sérieux et de bouffon...

R. — Racine écrit *Les Plaideurs* un an après *Andromaque* et un an avant *Britannicus*, et il « voit » cette pièce si burlesque qu'il la destine d'abord aux Italiens, où l'on jouait les farces les plus grossières; tandis que Corneille écrit *L'Illusion comique*, qui est un mélange de sérieux et de bouffon, une œuvre extravagante, la même année qu'il écrit *Le Cid*.

C. — « Si ce Don Juan cherchait une épigraphe, on lui proposerait un mot de saint Paul corrigé par un lapsus désespéré : " Vie, où est ta victoire? " » (Henri Gouhier.)

R. — La vie pourrait répondre : « J'ai été comblée de ce qui me plaisait. Là est ma victoire. »

APPENDICES

« DOM JUAN » ET « DON JUAN »
par Fernande Revoil.

L'auteur de Don Juan *répète volontiers que tout ce qu'on lui reproche se trouve dans Molière, pour la bonne raison que maintes fois, par jeu, il a suivi la construction de Molière. C'est pourquoi nous avons cru devoir reproduire le texte d'une étudiante de la Faculté de Montpellier, M*lle *Fernande Revoil, paru dans* Montherlant vu par des jeunes de dix-sept à vingt-sept ans *(Éd. de la Table Ronde, Paris, 1959), qui, seul parmi les articles des critiques professionnels sur* Don Juan, *attire l'attention sur ce rapprochement étroit entre les deux ouvrages.*

DOM JUAN et DON JUAN

C'est vraiment un beau sujet de dissertation universitaire que de comparer le *Don Juan* de Montherlant et celui de Molière...

Il n'est rien de ce qu'ose Montherlant qui n'ait été osé par Molière. La scène de cirque de la Comtesse a pour pendant la scène de cirque de Dom Juan donnant à Sganarelle, par mégarde, le soufflet destiné à Pierrot. La scène de la double Veuve avec Alcacer est un hors-d'œuvre au même titre que la scène avec M. Dimanche; encore est-elle moins qu'elle un hors-d'œuvre : que l'on sache comment il a traité la veuve parachève le portrait du séducteur, alors que cela n'intéresse pas le portrait du séducteur, que l'on sache comment il traite ses créanciers. Ces deux scènes sont placées à des endroits « impossibles », à la fin de la pièce, au moment où l'action devrait s'accélérer vers son dénouement : les deux auteurs s'en moquent, Molière parce qu'il bâcle une pièce pour combler le manque à gagner que l'interdiction de *Tartufe* lui a coûté, Montherlant parce qu'il s'amuse à suivre Molière. Molière, à l'acte IV, fait précéder l'entrée impressionnante de la statue d'une scène bouffonne entre Dom Juan et son valet; Montherlant fera précéder les scènes finales entre Don Juan et Alcacer, Don Juan et Ana, qui sont les scènes émouvantes de la pièce, de l'intermède bouffon de la veuve et d'Alcacer. A l'acte III de Montherlant, celui qui devrait aller vite, la veuve, les penseurs, Ana de Ulloa entrent à la queue leu leu sans nécessité ni même sans que leur entrée soit motivée, de même que, chez Molière, la rencontre du pauvre, celle des voleurs sont l'effet de hasards, et plus encore dans son acte IV où « des hasards trop heureux font entrer chaque personnage à la minute où le précédent lui fait place », et « amènent dans l'ordre qu'il faut les trois visiteurs de Dom Juan ». Montherlant, avec la veuve, ressasse (et on a envie de lui crier : « Assez! ») son portrait de la femme insatisfaite, comme Molière ressasse dans *Dom Juan*, et avec moins d'à-propos encore, ses diatribes contre les médecins et les hypocrites.

Ici et là, chez des hommes qui ont écrit des pièces aussi bien charpentées que *Tartufe* et *Le Misanthrope*, *Le Maître de Santiago* et *La Ville dont le prince est un enfant*, même dédain provocant des règles et de ce qui est attendu au théâtre, même désinvolture agaçante [1]. Résultat : *Dom Juan* quitte l'affiche après

---

1. Nous n'avons voulu rapprocher ici ces deux pièces que *dans leur extravagance.* Si nous faisions un rapprochement sur tous les plans, nous dirions encore ceci. Le premier Penseur

quinze représentations, ne paraît même pas en librairie; *Don Juan* est accueilli par des sifflets, et constitue un échec de taille dans la carrière dramatique de Montherlant.

Le caractère bizarre du *Dom Juan* de Molière ne semble pas avoir été la cause de son échec. Cette cause, ce fut sa liberté de pensée plus que sa liberté d'allure, liberté de pensée exploitée par les ennemis de l'auteur. Les causes de l'échec du *Don Juan* de Montherlant ont été sa liberté d'allure et sa liberté de pensée, exploitées par les ennemis de l'auteur. Mais, aujourd'hui (laissons parler Montherlant), « on trouve dans *Dom Juan* (celui de Molière) et dans ses défauts mêmes, qui sont si flagrants, un je ne sais quoi qui porte à réfléchir et à rêver plus encore qu'on ne le fait sur ses autres pièces. *Dom Juan* est censé être la pièce mystérieuse de Molière comme *Phèdre* est la pièce mystérieuse de Racine ».

Aucune des pièces de Montherlant n'est écrite avec plus de brio, plus de bonheur, plus de jeunesse intré-

expliquant que Don Juan est « plein de Dieu », c'est Sganarelle expliquant pourquoi le monde ne s'est pas fait tout seul. Alcacer pensant à son argent, quand son père est en danger de mort, c'est le « Mes gages! mes gages! » de Sganarelle quand son maître est foudroyé, quoique ici le trait aille plus loin parce qu'Alcacer n'est pas un valet fripon mais un fils affectueux. Enfin il saute aux yeux que la scène où Montherlant ridiculise les « Penseurs », au nom de « ce qui est », est étroitement dans l'esprit de Molière ridiculisant les mauvais médecins et les précieuses, également au nom du bon sens et de la raison. Cette scène, avons-nous lu, est une « scène de revue ». Les scènes qui ne sont pas davantage que des « scènes de revue » abondent dans Molière et ce sont même elles qui ont assuré sa popularité; et si « M. le Catedratico Blablabla y Blablabla » n'est pas une trouvaille très fine, elle ne l'est pas beaucoup moins que les médecins « Purgon » et « Diafoirus ». Ajoutons que les deux *Don Juan*, de Molière et de Montherlant, ont encore ce trait en commun, d'être écrits dans une langue plus variée et plus savoureuse que les autres pièces de ces auteurs : montant et descendant agilement toute la gamme du trivial au structuré avec une liberté sans défaillance.

pide. Mais les profondeurs entrouvertes et l'accent
déchirant font du troisième acte un des sommets de
ce Théâtre que Montherlant nommait il y a quelques
mois, à propos de la reprise du *Maître de Santiago* :
un théâtre de la douleur. Don Juan continuellement
horrifié de mourir, mais si détaché quand la mort est
à sa porte; — l'abîme qu'ouvrent les répliques où
l'homme recherché trouve toujours une raison qui
l'empêche de se réfugier chez aucun de ses *amis;* — sa
cantilène de gravité, de tendresse et de remords, et
l'inanité de tout cela, ce duo d'amour aussi beau que
ceux de *Malatesta* et plus beau que ceux de *La Reine
morte*, mais avec son sens explicite : montrer qu'il ne
signifie rien que « *Words, words, words!* » — l'espèce
de délire sacré du héros, criant, chantant la vérité
terrible : que rien ne compte pour l'homme que ce
qui lui passe par la tête; — ce délire qui se mue en
démence finale, où le déluré picaresque du premier
acte s'agrandit et prend la dimension des fous tragiques, sous les yeux enfin dessillés de son enfant;
— son départ au galop, la mort lui collant déjà à la
chair, à la fois lamentable et grandiose, lamentable
parce qu'il galope comme la vache Io (la comparaison
est de l'auteur) et que sa passion est le taon qui le
pique, grandiose parce qu'il reste fidèle à lui-même,
fidèle à sa volonté d'infidélité, n'acceptant pas que le
masque de la mort le fasse renoncer à ce qu'il est :
« J'ai besoin d'avoir été, et j'ai besoin d'être », sous
entendu : « d'être moi-même, jusqu'à la fin »... Le
troisième acte de *Don Juan*, qui passe à mille mètres
au-dessus de la tête de la plupart des spectateurs, est
égal en *poids humain* au troisième acte de *La Ville
dont le prince est un enfant* et au quatrième acte de
La Reine morte.

LES COMPLEXITÉS DU DON JUAN
DE MONTHERLANT

Être et ne pas être à la fois ce que l'on est, particularité typiquement « montherlantienne », et qui apparaît chez nombre des héros de Montherlant, va se retrouver à plusieurs reprises dans son Don Juan, homme, et dans son *Don Juan*, pièce.

C'est ainsi que, voulu par l'auteur comme un homme normal, équilibré, en opposition aux déséquilibrés que sont les Don Juan du XIXᵉ siècle, le Don Juan de Montherlant finit par se glisser insidieusement, lui aussi, dans la catégorie des « pas tout à fait équilibrés », car il a deux obsessions : sa mort, plus ou moins prochaine, et le plaisir. Voulu par l'auteur comme un homme non maudit, en opposition toujours aux Don Juan du romantisme, sa scène finale est celle d'un homme maudit. Voulu en opposition au « mythe », dont on se moque dans la scène des Penseurs, il devient, comme les autres, prisonnier du Mythe : il rentre dans le monde du Don Juan traditionnel.

Mais ce n'est pas tout. Nous avons dit qu'une des obsessions de notre nouveau Don Juan était le plaisir. Il faut examiner cela de plus près. Don Juan répète qu'il ne vit que par l'étreinte et dans l'étreinte. Mais il témoigne aussi, à maintes reprises, que la « chasse » est aussi agréable pour lui, sinon plus, que l'étreinte. Quand il attend Linda, il souhaite qu'elle ne vienne pas, pour pouvoir aller à la chasse d'autres. Et, quand il pourrait étreindre Ana de Ulloa, il ne songe de même qu'à aller chasser.

Or, le plaisir de la « chasse » est, qu'on le veuille ou non, un plaisir intellectuel. Intriguer, manœuvrer, aborder, séduire, se garder : tout cela se fait avec l'esprit, les sens n'y ont aucune part. Et Alcacer le sait bien, qui consacre toute une tirade à montrer ce que le séducteur doit déployer d'intelligence.

Allons-nous finalement donner un peu raison à Don Basile qui dit de notre héros qu'il est un « cérébral »?

En un troisième point, le Don Juan de Montherlant échappe à ce qu'il est. Il blasphème Dieu, et l'important n'est pas qu'ensuite il revienne sur ses pas pour poser aux pieds d'une Vierge de carrefour un petit bouquet tombé dans la rue. L'important n'est même pas qu'il veuille tenir la promesse qu'il a faite à un Dieu dont il nie l'existence (la promesse d'aller en pèlerinage à Santiago). L'important est que le nom de Dieu lui vienne aux lèvres, invincible, quand il parle à Ana, aux moments où il « se monte la tête » sur elle, et qu'il reconnaisse : « Il y a en moi une exaltation et une passion qui ont besoin du recours à Dieu, même si je ne crois pas en Dieu. » Malgré ses blasphèmes, malgré la scène avec le premier « Penseur », dirigée précisément contre ceux qui voient Dieu partout, nous dirons que des catholiques pourraient soutenir que Don Juan, en invoquant Dieu, le crée. De même que plus haut nous donnions un peu raison à Don Basile, de même ne devons-nous pas donner un peu raison, contre Montherlant, au premier Penseur, qui reconnaît en Don Juan la présence de Dieu?

Et enfin le surnaturel, banni en fait de toute la pièce, banni même en parole à la fin : « Il n'y a pas de fantastique : c'est la réalité qui est le fantastique », y rentre une minute après que cette parole a été prononcée, par le masque de la mort qui s'incruste dans la chair de Don Juan. Au moment de finir, l'œuvre se donne à elle-même un démenti, comme son héros n'a cessé de se donner des démentis. Et encore un dernier démenti dans la dernière réplique, puisque cette pièce désespérée finit sur une parole d'espoir...

Œuvre étrange, en vérité, pleine de tous ces démentis qu'on s'y donne et qu'elle se donne, notamment celui d'être — cette pièce sur la vieillesse — la pièce sans doute la plus « jeune » que Montherlant ait jamais écrite. Œuvre étrange, avec son protagoniste dont l'auteur affirme qu'il est simple, et qu'il n'a

« pas d'envergure », alors qu'il est ambigu, complexe, et agrandi de toute l'envergure de la mort. Œuvre étrange, avec ses fantoches, ses invraisemblances, ses discordances, son laisser-aller voulu (tout le premier acte pourrait être supprimé sans que l'action en souffre), sa liberté d'allure mais surtout sa liberté de ton plus affirmée encore que dans les autres pièces du même auteur...

Une certaine critique représente Montherlant « marmoréen », « monolithique », etc. Ce qui est frappant en lui, au contraire — et inquiétant —, c'est sa fluidité. Montherlant vit, réagit sur un rythme syncopé beaucoup plus rapide que celui sur lequel vivent et réagissent les Français (peut-être que dans l'Italie du sud, dans l'Espagne du sud?...). Son Don Juan est, comme lui, un personnage insaisissable, passant à toute vitesse d'un certain plan de sentiment à un plan tout différent et qui semble le contredire. L'acteur qui l'incarnait au théâtre de l'Athénée était incapable de suivre ce rythme, et ne le comprenait sans doute même pas. Mais le public aussi, et bien des gens intelligents aussi. Le Don Juan délirant de la dernière scène, justifiant tout, accueillant tout en lui, ce n'est rien d'autre que le Montherlant d'*Aux fontaines du désir*, dont la richesse de nature a besoin de tous les contraires et les juxtapose indifféremment. Le troisième acte de *Don Juan*, c'est beaucoup de choses, c'est un monde de choses, mais c'est aussi une mise à la scène inattendue de « syncrétisme et alternance ».

DON JUAN
par Alexander J. Susskind

Au-delà des paroles. Une étude des relations humaines dans l'œuvre de Montherlant. Thèse (en français) pour le titre de docteur en philosophie, Duke University, North Carolina, 1970.

Montherlant professe avoir écrit son *Don Juan* « contre l'abondante littérature qui a voulu faire de Don Juan un personnage complexe [1] » et fait dire à son héros lui-même : « Ce n'est pas difficile d'être Don Juan » (p. 57). Dans les relations humaines, Don Juan est celui qui choisit l'union physique comme son langage propre, s'arrogeant ainsi la prérogative de l'artiste qui, lui aussi, échappe au piège de la raison et des moyens conventionnels de communiquer. Mais il faut se garder d'expliquer Don Juan avec les concepts formés à partir de l'artiste, ou à partir de n'importe quelle autre catégorie. Ce que Montherlant condamne chez les « Penseurs-qui-ont-des-idées-sur-Don Juan », c'est de vouloir définir, c'est-à-dire juger au lieu de comprendre. La méthode en est facile : il suffit, sur la foi de quelque apparence ou analogie, d'attribuer à la sexualité des qualités qui la rendent

---

1. *Notes sur Don Juan*, p. 157. Les citations dans le texte suivent la pagination de la présente édition.

impropre à atteindre un certain but, de déclarer
ensuite ce but comme le seul véritable de cette sexualité, et voilà l'insuffisance de celle-ci démontrée — et
la pauvreté d'esprit du séducteur. On a toujours étu-
dié Don Juan, suggère Montherlant, comme ces passants qui vous demandent leur chemin puis, par
distraction, oubli ou obstination, s'en vont du côté
opposé [1].

Nietzsche a dit qu'on ne peut définir que ce qui
n'a pas d'histoire. Montherlant, en rendant bien dis-
tinctes les péripéties légendaires de Don Juan, a
donné une histoire propre à son héros; et c'est pourquoi le vieillard de Montherlant devra mourir, alors
que la fin traditionnelle de tous les *Don Juan* est une
apothéose vers l'immortalité, une mythisation. Si
Montherlant a pris une mesure tout humaine de Don
Juan, il a aussi rafraîchi le cadre de la comédie. Jean
de Beer dit « que le dosage de tragique et de burlesque
ne s'est pas fait. La pièce est toute tragique [2] ». Ce
jugement est trop impérieux pour ne pas tenter de le
renverser : tous les ingrédients tragiques ne peuvent
faire que la pièce ne proclame la joie de vivre. Le
Don Juan est une tragédie qui nous laisse cette conso-
lation que « la vie, au fond, malgré les apparences
toujours changeantes, est indestructiblement puissante et pleine de plaisirs [3] ». Même le masque de la
mort, bien que le seul qui ne peut être changé, n'est
qu'un masque, c'est-à-dire un rôle qu'on se regarde

1. Montherlant introduit ces passants par deux fois dans
la première scène. A noter que la deuxième fois (supprimée
dans la présente édition), Don Juan dit n'importe quoi à la
vieille femme qui, par conséquent, en prenant la direction
opposée, pourrait atteindre son but.

2. *Montherlant*, p. 408. La présence des deux composants
n'étant pas en doute, le « dosage » peut être ou bon ou mauvais; ce qui se fait ou ne se fait pas est la combinaison ou le
mélange.

3. Nietzsche parlant de la tragédie présophocléenne ou
dionysiaque. « *Die Geburt der Tragödie* », *Werke*, I (München,
1962), p. 47.

jouer, et qu'il faut jouer de son mieux. Dans ses *Carnets*, Montherlant critique cette phrase de Renan :

> « On ne meurt pas pour une chose qu'on croit à moitié vraie. » Mais si, quand on est embarqué. Le drame de la mort de César n'est presque rien à côté du second drame qui s'y faufile et qui lui donne sa dimension infinie. Le drame de ceux qui ne croient plus à leurs actes, et qui font ceux qui y croient jusqu'au bout [1].

C'est là aussi qu'est le drame de Don Juan. La mort, il l'attend depuis longtemps; se cacher ne fait pas partie de son rôle : « Je me suis déjà trop caché, pour ce que je suis » (p. 138); l'idée de fuite est compatible avec son rôle, car il se doit à l'amour, mais à condition d'y mettre une certaine paresse qui convient au mépris de la mort. Don Juan, comme Sisyphe, est celui qui, malgré « une connaissance très exacte et très juste » (p. 122) de ce qui est, continue. Il s'oppose directement aux penseurs qui, pour pouvoir fonctionner, ont besoin d'un vide qu'ils puissent remplir de ce qui n'est pas. Ceux-ci se meuvent à la surface, au niveau des apparences, des concepts et des mots, cependant que la sexualité est la libre expression d'une volonté inconsciente. La sexualité est une communication à la source; elle ouvre la porte sur l'être lui-même, au-delà de toute protection par le symbole; elle ne *signifie* plus, elle n'est rien qu'elle-même; on peut donc dire qu'elle n'est pas un langage [2]. « Le comble de ce que peut donner la créature humaine » (p. 81). Déjà, le jeune Alban du *Songe* se rendait vaguement compte de cette supériorité, dans les relations humaines, de l'amour sexuel sur le sentiment : celui-là ne trompe pas.

---

1. *Carnets* (Paris, 1955), p. 18.
2. Voici ce qu'on trouve chez Buber comme définition de la *réalisation* : « Ne rapporter l'expérience à rien qu'à elle-même. » Nous posons la sexualité, ici, comme une relation psychique et non seulement physique. Voir Maurice S. Friedman, *Martin Buber* (New York, 1960), p. 36.

Don Juan reprend, souvent en passant, quelques-uns des thèmes que nous avons vus dans les pièces ou romans qui l'ont précédé. La « volonté contra-riante » de Linda (p. 46) est l'écho séculier du manque de soumission chez les pensionnaires de Port-Royal. A l'opposé, il y a ceux qui abandonnent leur propre volonté au profit de la fatalité. Léon de Coantré, à l'approche de l'action, passait volontiers son tour pour donner sa chance à la fatalité. Don Juan reprend les mots mêmes de Montherlant dans *Les Céliba-taires* : « J'attends qu'il soit trop tard » (p. 60). L'hor-reur d'être aimé est un thème fondamental dans l'œuvre de Montherlant et l'amour donjuanesque est la suprême variation de ce thème : il est l'amour *avec* la liberté. Le défaut d'intérêt chez chacun pour tout ce qui n'est pas lui : Alcacer bâille quand Don Juan lui raconte ses histoires et Don Juan bâille quand Alcacer lui raconte les siennes : « C'est l'esto-mac », commente Don Juan [1]. Il y a chez Don Juan une générosité qui n'est peut-être qu'une fatigue et qui n'est donc pas celle de *La Ville*, mais celle du vieux Ferrante. La référence à Santiago où Don Juan fait le vœu d'aller en pèlerinage ne peut manquer d'évoquer Don Alvaro, et elle gagne en ironie quand on mesure la distance qui sépare Don Juan du triple idéal de l'ascèse : pauvreté, humilité, charité, auquel le maître de Santiago s'est voué.

Mais *Don Juan* est autre chose qu'une pièce de plus dans une longue série. De Beer a raison de deman-der : « Quel écrivain n'a pas *Don Juan* dans ses tiroirs [2]? » Et bien que nous ayons suivi l'ordre chro-nologique sans aucune raison profonde, il faut souli-gner ici la place de cette pièce dans l'œuvre. La matu-rité philosophique de Montherlant a su faire sien ce qui, quoiqu'il en dise, *est* un mythe dans le domaine

---

1. Dans l'édition de 1958, Montherlant avait mis : « C'est la vie. » Une explication phénoménologique a déplacé une expli-cation existentielle.

2. *Montherlant*, p. 405.

public, et sa maturité artistique a su en faire une
pièce simple. Don Juan est un homme simple qui, par
son sens de l'humour, est arrivé à vivre dans le monde
comme si ce n'était pas le monde, ce qui est l'objet
de toute sagesse. Son sens de l'humour, ou mieux son
sens ludique, lui permet de concilier le monde et de
circonvenir les défaites [1]. Camus dit que « seule est
éternelle la force qui n'a pas de but, le jeu d'Héraclite [2] ». Don Juan possède cette force, lui qui parle
un langage quasi héraclitien quand il dit : « Je cumule
le changement et la durée. Et ce que je poursuis dans
le changement, c'est toujours la durée » (p. 86-87). Cette
force découle tout naturellement du sens de l'indifférence. Mais, et cela donne une valeur toute parti-
culière à cette pièce, cette indifférence n'exclut pas la
fidélité. Tout au début, Don Juan dit : « L'homme est
fait pour abandonner » (p. 26), mais vers la fin de la
pièce, il y a une scène entre le vieux séducteur et la
jeune Ana dont le ton est cette « tenue grave » que
maintient la main gauche sur le clavier de l'orgue
contre « les arpèges que trace la main droite » (p. 86).
La maxime appartient à ces pétillements du vin nouveau dont Montherlant toute sa vie a rempli les
vieilles outres de la littérature française, tandis que
l'exposé sur la fidélité a le velouté de l'âge : « La
fidélité n'est pas d'être attaché uniquement, mais,
lorsqu'on retrouve, de résonner et que cette résonance
fasse unisson avec celle d'autrefois » (p. 142). Il
n'est pas sans intérêt d'opposer cette définition de la
fidélité à celle qu'en donne un philosophe : « La fidélité n'a de réalité que dans la mesure où elle implique
un recours à l'absolu, car il n'est pas légitime de s'engager si je m'identifie à mes états de conscience et si
je vis dans l'instant [3]. » Il est de l'essence de Don Juan

1. Voir *Au-delà des paroles*, chapitre : *Les Célibataires*, et
chapitre : *Les Jeunes Filles*. Voir aussi, cependant, *Le Chaos
et la Nuit* (p. 271), pour un point de vue plus pessimiste.
2. *L'Homme révolté* (Paris, 1967), p. 97.
3. Gabriel Marcel, *Être et Avoir* (1935), p. 65.

de vivre dans l'instant et de s'identifier à ses états de conscience; aussi ne parle-t-il pas de s'engager, mais de retrouver; non d'un acte de la volonté, mais d'un mystère de la sensibilité. Le philosophe fait un grand pas vers ce dernier quand il ajoute à sa définition : « Cette réalité absolue n'est pas une permanence inerte mais celle d'un être qui se crée. » Il y a là comme un subtil passage de « la pensée discursive » à « la pensée mystique » [1].

En donnant la fidélité à son Don Juan, il n'est pas certain que Montherlant l'ait rendu plus simple, car sur le fond légendaire cela a bien l'air d'une contradiction dans les termes. Mais, non content de cette supercherie, Montherlant fait encore de son héros un homme sincère, c'est-à-dire le contraire d'un hypocrite. Bien qu'elle n'en relève pas expressément, il faut supposer à cette sincérité une définition analogue à celle de la fidélité. Être sincère pour Montherlant est une quasi-tautologie. Affublé de ces deux vertus, le Don Juan de Montherlant apparaît bien comme une « réaction contre l'abondante littérature » qui se donne pour objet d'expliquer un mythe qu'elle a elle-même créé. Montherlant nous dit en effet qu'il n'y a rien à expliquer : son héros n'est pas le jeune premier, mais un homme de soixante-six ans; plus de valet pour recevoir les coups destinés au maître, mais un fils dévoué; au lieu du Commandeur qui meurt défendant l'honneur de sa fille, un pauvre homme dont la vanité est moins dangereuse que l'épouse; enfin au lieu de spectres, flammes et soufres, une espièglerie.

Tout le monde, dans la pièce de Montherlant, est humain, alors que l'humain fait tache dans les *Don Juan* traditionnels. On remarque fort le pauvre chez Molière à qui Dom Juan donne un louis d'or « pour l'amour de l'humanité [2] ». La déclaration du per-

1. Expression d'Ernst Cassirer, *Philosophie der symbolischen Formen* (Oxford, 1954).
2. Acte III, sc. II.

sonnage montherlantien : « J'aime le genre humain »
(p. 82), sonne vrai et ce n'est que la franchise de
l'image qui surprend dans cette question : « Que
faire d'un déchet humain, sinon coucher avec lui ? »
(p. 38), car au fond il n'y a rien de plus généreux ni
de plus authentique.

Sans doute *Don Juan* n'est pas la plus belle ou
la plus profonde pièce de Montherlant; et pourtant
c'est un sommet dans son œuvre, parce que c'est
une sorte de conclusion de sa pensée. Si l'homme y
joue toujours sa vie, ce n'est plus *faute* de pouvoir
la vivre, mais parce qu'il reconnaît que c'est la plus
vraie manière de vivre. Il est de l'essence du jeu que
j'y ose l'échec. Dans le jeu se manifeste tout l'être :
« Il n'y a pas de " tâche d'homme " [1] »; il n'y a
que le labeur de l'enfant qui bâtit de pierre et de
sable un monde — puis le défait [2]. *Aedificabo et destruam.* Camus a critiqué la formule dans ses *Carnets :*
« J'aime mieux " *aedificabo et destruat* ". L'alternance ne va pas de moi à moi. Mais du monde à moi
et de moi au monde. Question d'humilité. » Soit,
mais où est l'arrogance, du côté de l'opposition ou
du côté de la soumission? La route de Meursault est
longue et pénible avant la réalisation de cette « tendre
indifférence du monde », mais alors, prenant sur soi
sa vie et sa mort, il dirait non point *destruat* mais
bien *destruam.* Dans l'union sexuelle aussi on risque
l'autre et on ose l'échec comme dans le jeu. Risquer
l'autre, c'est l'extrême confiance qui existe dans l'acte

1. *Le Chaos et la Nuit*, p. 271.
2. C'est l'image qu'Héraclite emploie pour décrire la force
cosmogonique. Cité par Nietzsche, *Die Geburt der Tragödie*,
p. 132. Montherlant fait Cardona suggérer au Cardinal :.
« Avant de mourir, vous devriez déchirer votre œuvre, la
déchirer, la ravager de vos propres mains — par des actes,
par votre testament, — comme les enfants, quand la marée
arrive, détruisent le château de sable qu'ils ont passé la journée entière à construire. » *Le Cardinal d'Espagne* (Paris,
1960), p. 175.

de la chair comme dans le vrai dialogue; échouer, c'est la détente, comme une vague échoue sur la plage, c'est pour la volonté de toucher le fond et se détruire en même temps. L'échec n'est donc pas une défaite : celle-ci est l'œuvre de l'autre *(destruat)*, celle-là est mon œuvre *(destruam)*. Montherlant, annotant de Beer [1], dit du fameux *post coitum animal triste :* « Parole éminemment stupide qui ne se vérifie qu'après l'amour fait sans tendresse. S'il y a tendresse, *après* il y a tendresse encore, renforcée de gratitude. » La tristesse est signe qu'il n'y a pas acte de communication, mais défaite et solitude; le signe contraire est la détente dans la confiance. Quand le roi est mat, le vainqueur ne le renverse et ne l'enlève point de l'échiquier.

La scène cinq du troisième acte de *Don Juan* est parmi les plus belles scènes lyriques que Montherlant ait créées. Elle est à elle seule une réponse suffisante à tous les dénigrements du créateur de Costals. Le lien entre Don Juan et Ana de Ulloa est l'amour le plus profond de tous les couples de Montherlant; seul celui de Malatesta et Isotta lui est comparable. Il n'y a là ni honte, ni haine, ni jalousie, ni mesquinerie. La réaction la plus forte de Montherlant contre la littérature autour de Don Juan est sans doute d'avoir fait de la relation entre le séducteur et sa victime un amour pur : il ne s'y mêle aucun autre sentiment. Ana n'est pas une Chimène : « Il y a vous. Mon deuil, mon malheur, mon père, mon avenir, tout cela, c'est le reste. Et, ici, ce reste est oublié » (p. 143-144). La relation filiale est un sentiment auquel s'applique la définition de Gide : « On ne peut jamais savoir dans quelle mesure on sent et dans quelle mesure on joue à sentir et cette ambiguïté fait le sentiment. » La relation entre amants est beaucoup plus réelle. Ana exprime une idée importante quand elle compare le rôle du père et le rôle de l'amant dans sa vie : « C'est vous qui m'avez rendue femme. Cela est

1. *Montherlant*, p. 119. (M.)

beaucoup plus que m'avoir mise au monde. C'est vous qui m'avez mise au monde. Mon père, en le faisant, le faisait pour ma mère et pour lui. Vous, vous l'avez fait pour moi » (p. 144). Elle ne fait rien moins que dissocier le but de la nature dans la sexualité qui est la procréation, du dessein de l'amour qui est de surmonter l'isolement des êtres. Que le plus souvent on n'atteint que le corps et s'y arrête, ne réfute pas la puissance de la sexualité comme moyen de communication des personnes qui vivent dans ces corps.

Ce n'est pas la vanité du virtuose qui fait les auteurs choisir leurs thèmes parmi les mythes et les archétypes, c'est la grande économie de l'évident : il fait bon de ne pas avoir à expliquer. Mais en même temps il leur faut signaler très fortement les nuances qui distinguent leurs personnages de ces mythes et archétypes et qui en font, malgré tout, des individus. Le *Don Juan* de Montherlant ne fut pas un succès. On a crié à la farce en même temps qu'on a accusé la pièce d'avoir échoué dans ses prétentions comiques. Sans doute n'y a-t-il pas négation du héros pour notre édification; mais son affirmation, en faisant du Don Juan de Montherlant une parodie du mythe, n'en détruit pas le tragique. La parodie du tragique ne le détruit pas, elle le dépasse dans le sens d'un tragique plus fondamental : l'absurde.

BIBLIOGRAPHIE

1. DON JUAN. Avril 1958. *Lefebvre*. Lithographies de Mariano Andreu (édition originale). 5 japon blanc, 5 japon crème, 20 Arches, avec deux suites, 30 Arches avec une suite, 200 Arches.
2. DON JUAN. 1958. *Gallimard*. 23 madagascar, dont 5 H. C., 65 hollande van Gelder, dont 5 H. C., 260 vélin pur fil Lafuma-Navarre, dont 10 H. C., 1 050 bouffant alfa reliés d'après la maquette de Paul Bonet.
3. DON JUAN. 1966. *Éditions Lidis*. Imprimerie nationale. Illustrations de Jean-Denis Malclès. 12 japon, 500 Arches, 3 000 Vercors.
4. LA MORT QUI FAIT LE TROTTOIR (DON JUAN). 1972. Coll. Folio, Gallimard.

DU MÊME AUTEUR

TEXTES SOUS UNE OCCUPATION (1940-1944).

THÉÂTRE.

— PORT-ROYAL, *théâtre*.

— BROCÉLIANDE, *théâtre*.

CARNETS (1930-1944).

LA MORT QUI FAIT LE TROTTOIR (Don Juan), *théâtre*.

ROMANS ET ŒUVRES DE FICTION NON THÉÂ-
TRALES.

— LE CARDINAL D'ESPAGNE, *théâtre*.

LE CHAOS ET LA NUIT, *roman*.

ESSAIS.

— LA GUERRE CIVILE, *théâtre*.

VA JOUER AVEC CETTE POUSSIÈRE (CARNETS
1958-1964).

— LA VILLE DONT LE PRINCE EST UN ENFANT, texte
de 1967, *théâtre*.

LA ROSE DE SABLE, *roman*.

LE TREIZIÈME CÉSAR.

UN ASSASSIN EST MON MAÎTRE, *roman*.

LA MARÉE DU SOIR (CARNETS 1968-1971).

LA TRAGÉDIE SANS MASQUE, Notes de théâtre.

MAIS AIMONS-NOUS CEUX QUE NOUS AIMONS ?

LE FICHIER PARISIEN.

TOUS FEUX ÉTEINTS (CARNETS, 1965, 1966, 1967,
CARNETS sans dates et 1972).

COUPS DE SOLEIL.

Cet ouvrage a été
achevé d'imprimer par SEPC
le 31 janvier 1993.
Dépôt légal : janvier 1993.
1er dépôt légal dans la même collection : février 1972.
Numéro d'imprimeur : 271.
ISBN 2-07-036035-0./Imprimé en France.

64569